D0971488

DU BONHEUR

Ouvrages du même auteur p. 227

Frédéric Lenoir

Du bonheur

Un voyage philosophique

Fayard

Couverture : Un chat au plafond.
Picasso : *Ronde de l'amitié, la Sardane*, 1959.
© Succession Picasso 2013.
Photo de l'auteur @ Andreu Dalmau / EPA / MAXPPP

ISBN : 978-2-213-66136-0

© Librairie Arthème Fayard, 2013.

Prologue

*Il faut méditer sur ce qui procure
le bonheur, puisque, lui présent, nous
avons tout, et lui absent, nous faisons
tout pour l'avoir* [1].

ÉPICURE

Depuis de nombreuses années, j'ai le projet d'écrire
un livre sur le bonheur. Depuis de nombreuses
années, je ne cesse de remettre ce projet à plus tard.
Bien que la recherche du bonheur soit sans doute la
chose la mieux partagée au monde, il n'est pas aisé
d'écrire à son propos. Comme beaucoup, je suis agacé
par l'usage intempestif du mot, en particulier dans les
publicités, comme par la pléthore d'ouvrages préten-
dant livrer des « recettes » toutes faites du bonheur.
À force d'en entendre parler à tort et à travers, la
question du bonheur, galvaudée, devient inaudible.
Mais derrière cette banalisation et son apparente simplicité, la question demeure passionnante et renvoie à
une multitude de facteurs difficiles à démêler.

Toutes les notes sont en fin d'ouvrage.

Cela tient notamment à la nature même du bonheur : à certains égards, il est aussi insaisissable que l'eau ou le vent. Dès qu'on pense s'en être emparé, il nous échappe. Si on tente de le retenir, il s'enfuit. Il se dérobe parfois là où on l'espère et surgit à l'improviste au moment le plus inattendu. Il arrive encore qu'on ne le reconnaisse qu'une fois le malheur survenu : « J'ai reconnu le bonheur au bruit qu'il a fait en partant », écrit joliment Jacques Prévert. Pourtant, j'en ai fait l'expérience, la poursuite du bonheur n'est pas une quête insensée. On peut réellement être plus heureux en réfléchissant sur sa vie, en effectuant un travail sur soi, en apprenant à faire les choix les plus judicieux, ou bien encore en modifiant nos pensées, nos croyances ou les représentations que nous nous faisons de nous-mêmes et du monde. Le grand paradoxe du bonheur, c'est qu'il est aussi indomptable qu'apprivoisable. Il relève tout autant du destin ou de la chance que d'une démarche rationnelle et volontaire. Il y a près de vingt-cinq siècles, le philosophe grec Aristote soulignait déjà cette ambiguïté : « Il est difficile de savoir si le bonheur est une chose qui peut s'apprendre, ou s'il s'acquiert par l'habitude ou quelque autre exercice, ou si enfin il nous échoit en partage par une certaine faveur divine ou même par le hasard[2]. »

Une autre difficulté tient au caractère éminemment relatif du bonheur : il varie selon les cultures, les individus et, pour chacun, selon les phases de la vie. Il prend souvent le visage de ce que nous n'avons pas : pour un malade, le bonheur est dans la santé ; pour un chômeur, dans le travail ; pour certains célibataires, dans la vie de couple... et, pour certains époux, dans le retour au célibat ! À ces disparités s'ajoute une dimension subjective : un artiste est heureux dans la pratique de son art, un intellectuel dans le maniement des concepts, un sentimental dans la relation amoureuse. Sigmund Freud, le père de la psychanalyse, a fort bien éclairé ce point en soulignant que « c'est la constitution psychique de l'individu qui sera décisive. L'être humain chez qui prédomine l'érotisme donnera la priorité aux relations de sentiment avec d'autres personnes ; le narcissique, se contentant plutôt de lui-même, cherchera ses satisfactions essentielles dans ses phénomènes psychiques internes ; l'homme d'action restera attaché au monde extérieur sur lequel il peut mettre sa force à l'épreuve[3] ». C'est une des raisons pour lesquelles il n'existe pas de « recette » du bonheur valable pour tous.

Toute réflexion philosophique sur le bonheur serait-elle donc vaine ? Je n'en crois rien. Si intéressants à souligner et à comprendre soient-ils, les caractères insaisissables, relatifs et subjectifs du bonheur n'épuisent pas la question. Il est aussi des lois de la vie et du fonctionnement de l'humain qui l'impactent fortement et que l'on peut appréhender tant par la réflexion philosophique classique que par des approches scientifiques : psychologie, sociologie, biologie, sciences cognitives. Et si le philosophe du XXIe siècle a quelque chose à dire de nouveau sur le sujet par rapport aux grands penseurs du passé, c'est sans doute précisément en nourrissant sa réflexion des apports de la science contemporaine. C'est aussi en croisant les savoirs, même les plus anciens, puisque nous avons aujourd'hui la chance de bien connaître la pensée des sages de toutes les grandes cultures du monde. Pythagore, le Bouddha et Confucius auraient certes pu dialoguer ensemble, puisqu'ils étaient probablement contemporains, mais les barrières géographiques et linguistiques rendaient pareille rencontre improbable. Elle peut avoir lieu de nos jours par la confrontation de ceux de leurs textes qui sont passés à la postérité. Ne nous en privons pas.

Parce que les Anciens étaient convaincus du caractère aléatoire et, en définitive, foncièrement injuste du bonheur, les diverses étymologies du mot renvoient presque toujours à une notion de chance ou de destin favorable. En grec, *eudaimonia* peut s'entendre comme avoir un bon *daimôn*. On dirait aujourd'hui : avoir un ange gardien, ou être né sous une bonne étoile. En français, « bonheur » vient du latin *bonum augurium* : « bon augure », ou « bonne fortune ». En anglais, *happiness* est issu de la racine islandaise *happ*, « chance ». Et il y a bien une part importante de « chance » dans le fait d'être heureux : ne serait-ce que parce que le bonheur tient beaucoup, nous le verrons, à notre sensibilité, à notre héritage biologique, au milieu familial et social dans lequel nous sommes nés et avons grandi, à l'environnement dans lequel nous évoluons, aux rencontres qui jalonnent nos vies.

S'il en est ainsi, si nous sommes enclins par notre nature ou le destin à être heureux ou malheureux, une réflexion sur le bonheur peut-elle nous aider à être plus heureux ? Je le crois. L'expérience, confirmée par de nombreuses enquêtes scientifiques, montre que nous portons aussi une certaine responsabilité dans le fait d'être heureux (ou de ne pas l'être). Le bonheur à la fois nous échappe et dépend de nous. Nous sommes *conditionnés* mais pas *déterminés* à être plus ou moins heureux. Nous avons donc la faculté, notamment par l'usage de notre raison et de notre volonté, d'accroître notre capacité d'être heureux (sans pour autant que le succès de cette quête nous soit garanti). Parce qu'ils étaient aussi habités par cette conviction, de nombreux philosophes ont rédigé des livres dits « d'éthique », consacrés à ce qui peut nous conduire à mener la vie la meilleure et la plus heureuse possible. N'est-ce pas d'ailleurs la principale raison d'être de la philosophie ? Comme le rappelle Épicure, sage athénien qui vécut peu de temps après Aristote, « la philosophie est une activité qui, par des discours et des raisonnements, nous procure la vie heureuse[4] ». Cette quête d'une vie « bonne » ou « heureuse » est ce qu'on appelle la sagesse. C'est pourquoi le mot « philosophie » signifie étymologiquement « amour de la sagesse ». La philosophie nous apprend à penser bien pour essayer de vivre mieux. Mais, en ce domaine, elle ne se résume pas à la pensée : elle a aussi une face pratique et peut, à la manière des Anciens, s'incarner dans des exercices psychospirituels. L'université forme des spécialistes quand la philosophie antique entendait former des hommes. Comme l'a montré Pierre Hadot à travers l'ensemble de son œuvre, « la vraie philosophie est donc, dans l'Antiquité, exercice spirituel[5] ». La plupart des œuvres des philosophes grecs et romains « émanent d'une école philosophique, au sens le plus concret du mot, dans lequel un maître forme des disciples et s'efforce de les mener à la transformation et à la réalisation de soi[6] ».

C'est donc un voyage philosophique, entendu en ce sens élargi, que j'aimerais proposer au lecteur. Ce parcours n'a rien de linéaire, ne suit pas l'ordre chronologique d'apparition des auteurs ou d'émergence des concepts, ce qui serait assez convenu et ennuyeux. C'est un cheminement, plutôt, le plus vivant possible, ponctué d'interrogations et d'exemples concrets, dans lequel le lecteur croisera aussi bien l'analyse des psychologues que les derniers apports de la science. Surtout un voyage dans lequel, au fil des questions et des exemples de règles de vie ou d'exercices spirituels, il marchera en compagnie de ceux des géants du passé – du Bouddha à Schopenhauer en passant par Aristote, Tchouang-tseu, Épicure, Épictète, Montaigne ou Spinoza – qui ont contribué à l'éternel questionnement et à la pratique de la vie heureuse.

Avant d'entamer ce voyage philosophique, j'aimerais m'interroger encore quelques instants sur la question du bonheur telle qu'elle se pose aujourd'hui. On peut en effet faire le constat, à première vue assez étonnant, d'un saisissant contraste entre l'engouement populaire – assez bien relayé par les médias – et un désintérêt, voire un certain mépris, de la part d'une large fraction des intellectuels et de l'université. Robert Misrahi, un des meilleurs exégètes de Spinoza et auteur d'une belle œuvre personnelle sur la question du bonheur, s'interroge en ces termes : « Nous assistons aujourd'hui à un bien étrange paradoxe. Alors que, dans la France et dans le monde, tous aspirent à un bonheur concret pouvant revêtir mille formes, la philosophie se consacre à des études formelles sur le langage et sur la connaissance, à moins que, se voulant concrète, elle ne se complaise parfois dans la description de ce qu'elle appelle le tragique[7]. » Quelles sont les raisons de ce désintérêt, voire de cette méfiance envers la question du bonheur ? Comment expliquer, à l'inverse, la faveur actuelle dont elle jouit parmi un large public ?

Renouant avec la philosophie antique par-delà le christianisme – pour qui le vrai bonheur ne peut se trouver que dans l'au-delà –, Montaigne et Spinoza ont été les précurseurs d'une quête philosophique moderne du bonheur. Le XVIIIe siècle, celui des Lumières, voit proliférer les traités sur le même sujet. Saint-Just écrit : « le bonheur est une idée neuve en Europe[8] », et la « recherche du bonheur » est même inscrite dans la Déclaration d'indépendance américaine (1776) comme un droit inaliénable de l'être humain. La poursuite du bonheur se démocratise et accompagne la soif collective de progrès des sociétés. Mais, dès le XIXe siècle, tandis que l'aspiration au progrès social prend de l'ampleur, émerge une critique de la recherche du bonheur individuel. Au sein du mouvement romantique, d'abord : c'est le malheur qui apparaît plus authentique, plus humain, plus émouvant, plus créatif. On cultive le « spleen », source essentielle d'inspiration, et une esthétique de la tragédie et de la souffrance reconnues comme méritoires et créatives. La poursuite du bonheur, perçue comme un souci bourgeois d'accéder au confort et à la tranquillité, est dès lors méprisée, vilipendée. Flaubert en donne cette définition pleine d'ironie : « Être bête, égoïste et avoir une bonne santé : voilà les trois conditions voulues pour être heureux. Mais si la première nous manque, tout est perdu[9]. » Vient s'y ajouter une critique plus radicale : en définitive, la quête du bonheur ne servirait pas à grand-chose. Soit parce qu'on considère que la vie heureuse tient exclusivement à la sensibilité de l'individu (Schopenhauer) ou aux conditions sociales et économiques (Marx), soit parce qu'on envisage le bonheur comme un état fugitif, « un phénomène épisodique[10] » (Freud), déconnecté de toute véritable réflexion sur sa propre existence. Les drames du XXe siècle ont rendu les intellectuels européens encore plus pessimistes et la question de l'angoisse est devenue centrale dans leurs travaux (Heidegger, Sartre), tandis que la poursuite du bonheur était reléguée au rang des utopies désuètes.

Pourtant, après que les grandes idéologies politiques ont montré leur inaptitude à rendre le monde meilleur et, par leur effondrement, sapé la croyance dans le progrès – mythe fondateur de la modernité –, la question du bonheur individuel a refait surface avec force. D'abord dans les années 1960, aux États-Unis, au sein du mouvement de la contre-culture. À travers une synthèse des spiritualités orientales et de la psychologie moderne se multiplient alors les premières expériences de ce qu'on appellera plus tard le « développement personnel », qui vise à accroître le potentiel créatif de l'individu afin qu'il soit le plus heureux possible. Le meilleur – la « psychologie positive », notamment – côtoie ici le pire : le boulgui-boulga New Age sur le bonheur à trois sous. Vingt ans plus tard, en Europe et particulièrement en France, se fait jour un nouvel intérêt pour la philosophie envisagée comme sagesse. Quelques philosophes osent reposer et repenser la question du bonheur : Pierre Hadot, Marcel Conche, Robert Misrahi ou encore André Comte-Sponville, Michel Onfray et Luc Ferry, lesquels ont grandement contribué à rendre à nouveau populaire cette approche : « Si la philosophie ne nous aide pas à être heureux, ou à être moins malheureux, à quoi bon la philosophie[11] ? » s'exclame ainsi André Comte-Sponville. C'est pour cette même raison que les sagesses orientales attisent de plus en plus la curiosité des Occidentaux, en particulier le bouddhisme pour lequel la question du bonheur est centrale. La convergence de ces trois mouvements – développement personnel, sagesse philosophique, intérêt pour les spiritualités asiatiques – nourrit ainsi les nouvelles quêtes individuelles de bonheur et de réalisation de soi dans un Occident en perte de sens et de repères collectifs.

Cependant, la majorité des élites intellectuelles reste sceptique. Tant pour les raisons que je viens d'évoquer (pessimisme et esthétique du tragique), auxquelles je ne souscris pas, que pour celles que je partage : difficulté à cerner une notion qui nous échappe sans cesse, ou agacement face à la marchandisation du bonheur, à la banalisation et à l'altération de sa problématique par une multitude d'ouvrages d'une rare indigence. Il est donc de bon ton de se moquer de la quête du bonheur et d'insister sur la nécessité d'aller mal, de souffrir (notamment dans la passion amoureuse), pour mieux goûter les instants de félicité que la vie nous offre sans qu'on les ait cherchés. L'essayiste Pascal Bruckner, auteur d'une stimulante critique de la quête moderne du bonheur, résume bien les choses : « J'aime trop la vie pour ne vouloir qu'être heureux[12]. »

Je crois qu'une autre raison – moins avouable, celle-ci – de la réticence ou de la méfiance de certains intellectuels et universitaires vis-à-vis de ce thème réside dans le fait qu'on peut difficilement l'aborder sans s'exposer de manière personnelle. On peut discourir à l'infini sur le langage, l'herméneutique, la théorie de la connaissance, l'épistémologie ou l'organisation des systèmes politiques sans que cela nous implique nécessairement de manière intime. Il en va tout autrement de la question du bonheur qui touche, comme nous allons le voir, à nos émotions, nos sentiments, nos désirs, nos croyances, et au sens que nous donnons à notre vie. Impossible de faire un cours ou une conférence sur le sujet sans qu'un auditeur demande : « Et vous ? Quel sens ? Quelle éthique de vie ? Êtes-vous heureux ? Pourquoi ? » Autant de questions embarrassantes pour beaucoup.

Je n'ai, quant à moi, aucune honte à avouer que la question du bonheur m'intéresse aussi à titre personnel, et aucune réticence à citer des exemples de pratiques psychospirituelles tirées de ma propre expérience. Ayant toutefois déjà fait référence à ces expériences dans mon *Petit traité de vie intérieure*, j'éviterai ici, autant que possible, de revenir trop explicitement sur des aspects personnels, pour suivre au plus près le fil de mon raisonnement. Il va cependant de soi que ce raisonnement a été tissé autant par mes lectures que par ma propre vie, et qu'il reflète autant les influences intellectuelles que j'ai subies que les conclusions personnelles auxquelles je suis parvenu depuis plus de trente-cinq ans que cette question me préoccupe.

1

Aimer la vie qu'on mène

> *Il n'est pas de condition humaine,
> pour humble ou misérable qu'elle soit,
> qui n'ait quotidiennement la proposi-
> tion du bonheur : pour l'atteindre, rien
> n'est nécessaire que soi-même* [13].

JEAN GIONO

Il est beaucoup plus facile, pour chacun de nous, de répondre à la question : « Qu'est-ce qui me rend heureux ? » qu'à cette délicate interrogation : « Qu'est-ce que le bonheur ? » Je peux dire que je suis heureux lorsque je me trouve en présence de ceux que j'aime, que j'écoute Bach ou Mozart, que je progresse dans mon travail, que je caresse mon chat près d'un bon feu de cheminée, lorsque j'aide quelqu'un à sortir de la tristesse ou du malheur, que je déguste un plateau de crustacés avec des amis dans un petit port face à la mer, lorsque je médite en silence ou que je fais l'amour, que je bois le matin ma première tasse de thé, que je regarde le visage d'un enfant qui sourit, que j'effectue une randonnée en montagne ou une promenade en forêt... Toutes ces expériences, entre bien d'autres, me rendent heureux. Mais le bonheur réside-t-il simplement dans l'addition de tels moments ? Et pourquoi ces expériences me procurent-elles du bonheur alors qu'elles ne rendraient pas nécessairement tout le monde heureux ? Je connais des gens qui ont horreur de la nature et des animaux, de Bach et des crustacés, du thé et des silences prolongés. Le bonheur n'est-il donc que subjectif, ne se réalise-t-il qu'à travers la satisfaction de nos préférences naturelles ? Et pourquoi à certains moments suis-je heureux de vivre telle ou telle expérience et non pas à d'autres, lorsque mon esprit est préoccupé, mon corps malade ou mon cœur inquiet ? Le bonheur se trouve-t-il dans notre relation aux autres et aux objets extérieurs, ou bien plutôt en nous, dans un état de paix intérieure que rien ne saurait troubler ?

On peut assurément vivre bien, et même assez heureux, sans se poser la question du bonheur, de ce qui peut le faire advenir ou grandir. C'est le cas, par exemple, lorsqu'on vit dans un monde structuré où la question du bien-être individuel se pose à peine, où l'on tire son bonheur des mille et une expériences de la vie quotidienne, en tenant sa place et son rôle au sein de la communauté à laquelle on appartient, et en acceptant sans sourciller son lot de souffrances. Des milliards d'individus ont vécu de cette manière et continuent de vivre ainsi dans les univers traditionnels. Il suffit de voyager un peu pour s'en convaincre. Il en va tout autrement dans nos sociétés modernes : notre bonheur n'est plus immédiatement relié au « donné immédiat » de la vie quotidienne et sociale ; nous le poursuivons à travers l'exercice de notre liberté, il dépend davantage de nous-mêmes et de la satisfaction de nos nombreux désirs – tel est le prix de notre volonté d'autonomie.

Certes, on peut aussi, dans le monde moderne, être à peu près heureux sans trop se poser de questions. On recherchera au maximum ce qui apporte du plaisir et on évitera le plus possible ce qui est pénible ou douloureux. Mais l'expérience montre qu'il est parfois des choses, très agréables sur le moment, qui produisent des effets négatifs par la suite, comme boire un verre de trop, céder à une pulsion sexuelle inappropriée, prendre de la drogue, etc. À l'inverse, des expériences pénibles nous font parfois grandir et se révèlent bénéfiques sur le long terme : accomplir un effort prolongé au cours de ses études ou dans la pratique d'une activité artistique, subir une opération ou absorber un remède désagréable, rompre avec une personne dont on ne peut se passer bien qu'elle nous rende malheureux, etc. La poursuite de l'agréable et le refus du désagréable ne sont donc pas toujours des boussoles fiables pour qui cherche à mener une existence heureuse.

La vie nous apprend aussi que nous portons en nous divers freins qui entravent la réalisation de nos aspirations profondes : peurs, doutes, orgueil, envies, pulsions, ignorance, etc. De même, nous ne pouvons maîtriser certains événements qui risquent de nous rendre malheureux : un environnement affectif ou relationnel mortifère, la perte d'un proche, un accident de santé, un échec professionnel... Alors que nous aspirons à être heureux – quoi que recouvre pour nous cet adjectif –, nous constatons que le bonheur est quelque chose de subtil, complexe, volatil, qui semble profondément aléatoire.

C'est la raison pour laquelle la communauté scientifique n'emploie presque jamais le mot. Qu'ils soient psychologues, spécialistes du cerveau ou sociologues, presque tous préfèrent parler d'un « bien-être subjectif » qu'ils cherchent à évaluer par l'indice de « satisfaction » de la vie des personnes sondées ou étudiées. Cet état de « bien-être subjectif » est parfois un instantané : c'est l'état dans lequel se trouve la personne au moment où elle fait l'objet de l'étude scientifique – lorsqu'on lui pose des électrodes sur le crâne, par exemple, afin d'observer ce qui se passe dans son cerveau pendant qu'elle subit telle sollicitation ou mène telle activité. Les scientifiques reconnaissent toutefois que si les études biochimiques et l'imagerie cérébrale permettent d'appréhender le plaisir (stimulus simple), jamais elles ne mesurent le bonheur (processus complexe). Pour parler d'un « bien-être subjectif » qui s'apparenterait davantage à cette expérience complexe, psychologues et sociologues ont donc mis au point des enquêtes destinées à la cerner dans sa globalité et sur une certaine durée : quelle appréciation l'individu porte-t-il « globalement » sur sa vie ? La question porte bien au-delà de la sensation ressentie à l'instant précis où le sondé y répond. En effet, une personne peut ressentir un mal-être ponctuel, dû par exemple à une maladie ou à un souci professionnel survenu le jour précis où elle répond à l'enquête, mais apporter une réponse positive à la question posée si elle se sait globalement satisfaite de sa vie. *A contrario*, on peut éprouver des moments de bien-être au sein d'une existence globalement douloureuse.

Le bonheur n'est donc pas une émotion passagère (agréable ou désagréable), mais un état qu'il faut envisager dans une certaine globalité et sur une certaine durée. Nous nous disons « heureux » ou « satisfaits » de notre existence parce qu'elle nous procure dans l'ensemble du plaisir, que nous avons trouvé un certain équilibre entre nos diverses aspirations, une certaine stabilité dans nos sentiments, nos émotions, une certaine satisfaction dans ses domaines les plus importants – affectif, professionnel, social, spirituel. À l'inverse, nous nous dirons « malheureux » ou « insatisfaits » de notre vie si elle nous procure peu de plaisir, si nous sommes tiraillés entre des aspirations contradictoires, si nos affects (émotions, sentiments) sont instables et globalement douloureux, ou si nous sommes habités d'un vif sentiment d'échec affectif ou social. C'est dans une telle *globalité* que nous nous percevons comme heureux ou malheureux, et c'est sur une certaine *durée* que nous pouvons jauger cet état.

J'ajouterai qu'il est essentiel d'avoir *conscience* de son bonheur pour être heureux. On ne peut répondre qu'on est « globalement satisfait de sa vie » que si on a réfléchi à sa propre existence. Les animaux ressentent certes du bien-être, mais ont-ils conscience de la chance qu'ils ont de se sentir bien ? Le bonheur est un sentiment humain lié à la conscience de soi. Pour être heureux, il faut avoir conscience de son bien-être, du privilège ou du don que représentent les bons moments de l'existence. Or les études psychologiques ont montré que nous sommes davantage conscients des événements négatifs que des événements positifs qui nous adviennent. Les négatifs nous marquent plus, on les mémorise davantage. Ce fait est probablement lié au principe de la psychologie évolutionniste selon lequel, pour survivre, il est plus important de repérer et mémoriser un danger, afin de trouver la solution destinée à y parer plutôt qu'un événement agréable. D'où la nécessité, dès que l'on vit un moment doux, agréable, joyeux, de prendre conscience de cette sensation, de l'accueillir pleinement, de la cultiver le plus longtemps possible. Ce que Montaigne a souligné avec insistance dans son langage fleuri : « Me trouvé-je en quelque assiette [état] tranquille ? Y a-t-il quelque volupté qui me chatouille ? Je ne la laisse pas friponner aux sens, j'y associe mon âme, non pour s'y engager, mais pour s'y agréer, non pas pour s'y perdre mais pour s'y trouver ; et l'emploie de sa part [pour sa part] à se mirer dans ce prospère état, et en peser et estimer le bonheur et amplifier[14]. »

L'expérience montre ainsi que la prise de conscience de notre état de satisfaction contribue à accroître notre bonheur. Nous savourons notre bien-être, ce qui renforce en nous le sentiment de plénitude : nous nous réjouissons, nous sommes heureux d'être heureux.

Pour résumer, je dirais que la définition psychologique ou sociologique du bonheur renvoie à cette simple question : aimons-nous la vie que nous menons ? C'est d'ailleurs ainsi que la question est le plus souvent formulée dans les enquêtes sur le « bien-être subjectif » des individus : « Dans l'ensemble, êtes-vous très satisfait, plutôt satisfait, pas très satisfait ou pas du tout satisfait de la vie que vous menez ? » Cette appréciation peut naturellement varier avec le temps.

Nous pouvons donc déjà parler du bonheur appréhendé comme « bien-être subjectif », comme la conscience d'un état de satisfaction (plus ou moins) global et durable. Mais est-ce suffisant pour décrire le bonheur au sens plein du terme ? Et, surtout, est-il possible d'agir sur lui ? Peut-on le rendre plus intense, plus durable, plus global, moins dépendant des aléas de la vie ?

Enfin, nous n'avons pas encore évoqué les « contenus » du bonheur. Or, comme le souligne encore Aristote, « sur la nature même du bonheur, on ne s'entend plus et les explications des sages et de la foule sont en désaccord[15] ».

2

Au jardin des plaisirs, avec Aristote et Épicure

Le bonheur ne va pas sans le plaisir [16].

ARISTOTE

Poursuivons notre questionnement philosophique avec Aristote et Épicure, deux penseurs grecs qui ont fait du bonheur un des thèmes centraux de leur pensée. Aristote a été le précepteur d'Alexandre le Grand pendant quelques années et le disciple de Platon durant vingt ans. En 335 avant notre ère, à l'âge de quarante-neuf ans, il quitte l'Académie de son maître pour fonder à Athènes sa propre école : le Lycée. C'est un esprit curieux de tout et un extraordinaire observateur : il s'intéresse autant à la biologie qu'à la physique, à la course des astres qu'à l'organisation de la vie politique, à la logique qu'à la grammaire, à l'éducation qu'aux arts. Il a écrit l'un des ouvrages les plus aboutis sur la question du bonheur : l'*Éthique à Nicomaque*, dédié à son propre fils. Il y souligne que « le bonheur est le seul but que nous recherchons toujours pour lui-même et jamais pour une autre fin[17] ». Le bonheur serait pour lui le « souverain Bien ». Nous pouvons rechercher l'argent pour le confort, ou le pouvoir pour être reconnus, alors que le bonheur est un but en soi. Toute la question porte sur sa nature : qu'est-ce qui nous rend globalement et durablement heureux ?

C'est principalement à travers leur réflexion sur le plaisir que s'élabore la notion de bonheur chez les philosophes grecs. Une vie heureuse, c'est d'abord et avant tout une vie qui apporte du plaisir. Le plaisir est une émotion agréable liée à la satisfaction d'un besoin ou d'un désir. J'ai plaisir à boire parce que j'étanche ainsi ma soif, plaisir à dormir si je suis fatigué, plaisir à apprendre parce que je suis avide de connaître, plaisir à acquérir un objet que je convoite, etc. La recherche du plaisir est innée chez l'être humain et il n'est sans doute pas exagéré d'affirmer que c'est le principal moteur de ses actions. S'émouvoir, c'est se mouvoir : parce que nous ressentons (ou espérons ressentir) des émotions agréables, nous sommes motivés pour agir. Le plaisir joue un rôle essentiel dans notre vie biologique, psychologique, affective ou intellectuelle. Depuis Darwin, les biologistes soulignent l'importance du rôle adaptatif du plaisir : les mécanismes qui lui sont liés auraient été sélectionnés et conservés du fait de leur rôle central dans l'évolution. De même, pour Freud, « c'est le programme du principe de plaisir qui fixe la finalité de la vie[18] ».

Bien des plaisirs de l'existence ne requièrent aucun effort : déguster une glace, satisfaire une pulsion sexuelle, s'absorber dans le spectacle d'une bonne série télévisée. D'autres exigent davantage : maîtriser un art, se lancer dans l'apprentissage de connaissances nouvelles, pratiquer tel ou tel sport à un bon niveau, etc. Si tous les plaisirs varient en intensité comme en importance, tous sont toujours éphémères. Si on ne le nourrit pas sans cesse par des sollicitations extérieures, le plaisir s'épuise au fur et à mesure qu'on en jouit. Un bon repas procure certes un grand plaisir, mais celui-ci diminue au fur et à mesure que notre estomac se remplit, et, parvenus à satiété, les mets les plus fins nous laissent indifférents. Si certaines circonstances (pénurie d'argent, maladie, perte de liberté) nous éloignent de cette quête inassouvie du plaisir, nous nous sentons encore plus malheureux, comme « en manque ». Le plaisir, enfin, n'a absolument rien à voir avec la morale : le tyran ou le pervers prennent du plaisir à torturer, à tuer, à faire souffrir les autres.

Parce qu'il est fugace, parce qu'il a sans cesse besoin d'être nourri, parce qu'il est moralement indéfini, le plaisir ne peut être le seul guide d'une vie. Nous avons sans doute déjà fait l'expérience que la recherche exclusive de plaisirs faciles et immédiats nous apporte des désillusions, que la poursuite du divertissement et des plaisirs sensoriels ne nous dispense jamais une pleine et entière satisfaction. C'est pourquoi des philosophes de l'Antiquité – tel Speusippe, neveu et successeur de Platon à l'Académie – ont condamné la recherche du plaisir, et certains cyniques pensaient que le seul remède à la souffrance était de fuir tout plaisir : puisque ce dernier peut nous égarer et nous rendre malheureux, évitons de suivre notre inclination naturelle et de le rechercher à tout prix.

Aristote réfute de manière radicale une telle conception en commençant par souligner que seuls les plaisirs sensoriels sont visés par cette critique : « Les plaisirs corporels ont accaparé l'héritage du nom de plaisir, parce que c'est vers eux que nous dirigeons le plus fréquemment notre course et qu'ils sont le partage de tout le monde ; et ainsi, du fait qu'ils sont les seuls qui nous soient familiers, nous croyons que ce sont les seuls qui existent[19]. » Or il est bien d'autres plaisirs que ceux du corps : l'amour et l'amitié, la connaissance, la contemplation, le fait de se montrer juste et compatissant, etc. Reprenant l'adage d'Héraclite selon lequel « un âne préférera la paille à l'or », Aristote rappelle que le plaisir est fonction de la nature de chacun, et il est conduit à s'interroger sur la spécificité de la nature humaine. L'être humain est le seul être vivant doté d'un *noos*, mot grec que l'on traduit généralement par « intellect », mais que je traduirai plutôt par « esprit », car il signifie pour Aristote non pas simplement l'intelligence ou la raison au sens moderne du terme, mais le *principe divin* qui se trouve en tout être humain. Aristote en conclut que le plus grand plaisir, pour l'homme, réside donc dans l'expérience de la contemplation, source du bonheur le plus parfait : « Puisque l'esprit est un attribut divin, une existence conforme à l'esprit sera, par rapport à la vie humaine, véritablement divine. Il ne faut donc pas écouter ceux qui conseillent à l'homme, sous prétexte qu'il est homme, de ne songer qu'aux choses humaines, et, sous prétexte qu'il est mortel, de se borner aux choses mortelles. Faisons au contraire tout notre possible pour nous rendre immortels et pour vivre conformément à la partie la plus excellente de nous-mêmes, car le principe divin, si faible qu'il soit par ses dimensions, l'emporte de beaucoup sur tout autre chose par sa puissance et sa valeur. [...] Le propre de l'homme, c'est donc la vie de l'esprit, puisque l'esprit constitue essentiellement l'homme. Une telle vie est également parfaitement heureuse[20]. »

Aristote souligne avec force que *la poursuite du bonheur constitue toujours une poursuite du plaisir*, mais si les plaisirs de l'âme contribuent le plus au bonheur, il précise néanmoins avec réalisme que « le sage aura aussi besoin de la prospérité extérieure, puisqu'il est un homme : car la nature humaine ne se suffit pas pleinement à elle-même pour l'exercice de la contemplation. Il faut aussi que le corps soit en bonne santé, qu'il reçoive de la nourriture et tous les autres soins[21] ». Le secret d'une vie heureuse ne réside donc pas dans la poursuite aveugle de tous les plaisirs de l'existence, pas plus que dans le fait d'y renoncer, mais dans la recherche du maximum de plaisir avec le maximum de raison. Car c'est celle-ci qui permet d'ordonner les plaisirs et de mener une existence vertueuse, source de bonheur, la vertu étant ici définie comme un « juste milieu » entre deux extrêmes et distinguée (tout comme son opposé, le vice) d'un appétit naturel. La vertu s'acquiert par l'intermédiaire de la raison et se fortifie par la pratique (c'est en accomplissant des actes de courage qu'on devient vraiment courageux). Aristote affirme ainsi que « le bonheur est une activité de l'âme conforme à la vertu[22] ». Ce qui fait la grandeur mais aussi le bonheur de l'être humain, c'est qu'il peut, par sa raison, devenir vertueux, et, par une activité volontaire, cultiver les différentes vertus : courage, modération, libéralité, magnanimité, douceur, humour, justice, etc.

Quelques décennies plus tard, un autre philosophe athénien, Épicure, formule une éthique du bonheur fondée sur le plaisir. Contrairement à son prédécesseur, il ne croit pas en un principe divin présent chez l'être humain. En 306 avant notre ère, à l'âge de trente-cinq ans, Épicure crée lui aussi une école : le Jardin. La plupart de ses écrits ont été perdus, mais on a fort heureusement conservé de lui une longue lettre destinée à un certain Ménécée, dans laquelle il expose les principaux aspects de sa philosophie sur la question du bonheur.

Épicure souligne la nécessité d'éliminer toutes craintes inutiles, à commencer par les deux plus importantes : celle des dieux et celle de la mort. Il ne nie pas l'existence des premiers (sans doute par prudence politique, car sa conception matérialiste du monde rend difficilement plausible l'existence de divinités), mais il les tient à distance en expliquant que l'expérience montre qu'ils n'exercent aucune influence sur la vie humaine. Il ne sert donc à rien de les prier et de les redouter en leur offrant toutes sortes d'offrandes ou de sacrifices. De même faut-il se délivrer de l'idée d'une immortalité de l'âme qui introduit la peur d'un possible châtiment post mortem. Épicure emprunte à Démocrite sa conception matérialiste d'un réel entièrement composé d'atomes insécables, approche qui conforte sa propre vision éthique. L'être humain, corps et âme, est pour lui un agglomérat d'atomes qui se dissolvent à la mort. Épicure explique que la peur de mourir relève purement de l'imagination, car tant que nous sommes en vie, nous n'avons aucune expérience du trépas, et quand nous mourrons, il n'y aura plus de conscience individuelle pour sentir la dissolution des atomes dont est fait notre corps et celle de notre âme.

Une fois rejetées ces deux grandes craintes métaphysiques, Épicure analyse la question du plaisir qui permet d'accéder au bonheur. Partant du constat que notre malheur résulte essentiellement de notre insatisfaction permanente, le philosophe opère d'abord une distinction entre trois sortes de désirs : les désirs naturels et nécessaires (manger, boire, se vêtir, avoir un toit…) ; les désirs naturels et non nécessaires (cuisine raffinée, beauté des vêtements, confort de l'habitat…) ; les désirs qui ne sont ni naturels ni nécessaires (pouvoir, honneurs, grand luxe…). Puis il explique qu'il suffit de satisfaire aux premiers pour être heureux ; les seconds peuvent être recherchés, même s'il vaudrait mieux y renoncer ; quant aux troisièmes, ils sont à éviter. Et Épicure de s'enthousiasmer : « Grâces soient rendues à la bienheureuse Nature qui a fait que les choses nécessaires soient faciles à atteindre et que les choses difficiles à atteindre ne soient pas nécessaires[23] ! » Nous sommes là en plein dans ce que le paysan-philosophe Pierre Rahbi appelle de nos jours la « sobriété heureuse ».

Nous avons le plus souvent une image faussée de la sagesse épicurienne. Pour beaucoup, le qualificatif « épicurien » implique l'idée d'une vie fondée sur la quête des plaisirs sensoriels le plus nombreux et intenses possible. Cette perception est très ancienne, car du temps même d'Épicure, ses adversaires, jaloux de son succès, tentèrent de le discréditer en faisant courir la rumeur que son Jardin était un lieu de jouissance et de luxure. Ce qui était mal perçu dans l'Antiquité est devenu source de fascination pour nombre de nos contemporains, mais le malentendu, lui, demeure. En fait, Épicure a conçu son Jardin (lieu beau et paisible) comme un espace de rencontres amicales où il faisait bon se réjouir ensemble et philosopher dans une atmosphère détendue, joyeuse, mais aussi écouter de la musique ou déguster des plats simples, toujours avec mesure. Aux yeux d'Épicure, en effet, pour être heureux, il est impératif à la fois de renoncer à certains plaisirs et de limiter ceux qu'on s'autorise : « Le plaisir est principe et fin de la vie bienheureuse, écrit-il. Pour cette raison, nous ne choisissons pas non plus tout plaisir. Il nous arrive de laisser de côté de nombreux plaisirs quand il s'ensuit, pour nous, plus de désagréments[24]. »

Le philosophe prône une éthique de la *modération* : mieux vaut un régime simple qu'une abondance de mets ; il faut fuir la débauche et la quête de jouissance pour rechercher en tout la santé du corps et la paix de l'âme. La vertu suprême de la pensée épicurienne est la prudence (*phronêsis* en grec) qui permet un juste discernement des plaisirs et des peines. « Tout plaisir, parce qu'il a une nature qui nous est appropriée, est un bien, et pourtant tout plaisir n'est pas à choisir. De même, toute souffrance est un mal, mais toute souffrance n'est pas toujours par nature à rejeter[25]. » Le bonheur épicurien se concrétise dans ce qu'il appelle l'« ataraxie » qui signifie « quiétude absolue de l'âme ». Cet état s'obtient par la suppression des craintes imaginaires et superstitieuses, par notre capacité à nous satisfaire de nos seuls besoins fondamentaux, et par la qualité de nos plaisirs – l'amitié étant sans doute le plus important.

Malgré leurs divergences métaphysiques, ce que prônent Aristote comme Épicure, c'est une *qualité* et un juste *équilibre* des plaisirs. Tous les excès sont à éviter : tant l'ascétisme que la débauche. Il s'agit de bien nourrir et d'entretenir notre corps et notre esprit, selon l'adage de Juvénal : « Un esprit sain dans un corps sain[26]. » Cet équilibre passe par des exercices physiques quotidiens qui permettent de conserver le corps en bonne santé tout en lui apportant du plaisir. Par une alimentation savoureuse et mesurée : privilégier la qualité sur la quantité. Par une attention au souffle : les écoles de sagesse de l'Antiquité proposaient à leurs élèves des exercices psychocorporels dont nous avons perdu le détail mais qui devaient être proches des exercices asiatiques tels que le yoga, le tai-chi ou bien certains arts martiaux, lesquels constituent aujourd'hui de précieux adjuvants pour mieux habiter notre corps, être plus attentifs à nos perceptions sensorielles, trouver du plaisir dans la respiration, le mouvement, la tension ou la détente musculaires. Le philosophe Arthur Schopenhauer, dont je reparlerai plus tard, affirmait que « les neuf dixièmes, au moins, de notre bonheur reposent exclusivement sur la santé. [...] un mendiant en bonne santé est plus heureux qu'un roi malade[27] » ; et il recommandait au moins deux heures d'exercice par jour en plein air, considérant à juste titre que nous sommes de bonne humeur dès lors que nous nous sentons bien dans notre corps.

J'ai aussi constaté pour ma part à quel point le contact avec la nature constitue une expérience senso-rielle régénératrice. Lorsqu'on peut faire une prome-nade en forêt, se plonger dans la mer ou une rivière, faire une randonnée en montagne, tout en étant attentif aux sensations et au plaisir que procure ce type d'ex-périence, on en ressort transformé, apaisé, ressourcé. Car ce plaisir du corps, cette régénération sensorielle se transmettent à l'esprit : nos soucis se dissipent, nos pensées sont plus nettes et réfléchies, notre âme retrouve la paix si elle était troublée. Victor Hugo l'a bien exprimé dans ces vers tirés des *Contemplations* :

Arbres de la forêt, vous connaissez mon âme !
Au gré des envieux, la foule loue et blâme ;
Vous me connaissez, vous ! vous m'avez vu souvent,
Seul dans vos profondeurs regardant et rêvant.
Vous le savez, la pierre où court un scarabée,
Une humble goutte d'eau de fleur en fleur tombée,
Un nuage, un oiseau m'occupe tout un jour,
La contemplation m'emplit le cœur d'amour [...]

Nous avons presque tous fait l'expérience de nous allonger dans l'herbe du jardin ou d'un parc public après une journée chargée ou après une semaine de travail. Nous y arrivons le corps contracté, l'esprit préoccupé. Notre corps se détend et se régénère au contact de la terre, et notre esprit cueille bien vite les fruits de ce bien-être : à son tour il se vide, s'apaise, se clarifie. Compte tenu de l'interaction profonde entre corps et esprit, l'inverse est tout aussi vrai : lorsque notre esprit est serein ou joyeux, le corps en tire les bénéfices, et nous verrons plus loin qu'il est possible de transformer des émotions désagréables – comme la peur, la tristesse ou la colère – par la force de l'esprit[28].

Chez Aristote comme chez Épicure convergent ainsi l'*hêdonê* (recherche du plaisir) et l'*eudaimonia* (recherche du bonheur). Ce lien étroit entre plaisir et bonheur a été confirmé par de nombreuses études scientifiques contemporaines qui montrent que toutes les expériences qui nous procurent du plaisir – se promener, faire l'amour, partager un bon repas entre amis, prier ou méditer, rire, pratiquer un art ou un sport – ont pour effet un rééquilibrage des sécrétions hormonales et des neurotransmetteurs du cerveau, ce qui favorise la stabilité de notre humeur et notre « bien-être subjectif[29] ».

3

Donner du sens à sa vie

> *Il n'y a point de vent favorable pour*
> *qui ne sait en quel port se rendre*[30].
>
> SÉNÈQUE
> (complété par Montaigne
> pour la métaphore maritime).

Être heureux, c'est apprendre à choisir. Non seulement les plaisirs appropriés, mais aussi sa voie, son métier, sa manière de vivre et d'aimer. Choisir ses loisirs, ses amis, les valeurs sur lesquelles fonder sa vie. Bien vivre, c'est apprendre à ne pas répondre à toutes les sollicitations, à hiérarchiser ses priorités. L'exercice de la raison permet une mise en cohérence de notre vie en fonction des valeurs ou des buts que nous poursuivons. Nous choisissons de satisfaire tel plaisir ou de renoncer à tel autre parce que nous donnons un *sens* à notre vie – et ce, aux deux acceptions du terme : nous lui donnons à la fois une direction et une signification.

Le sens dont je parle ici n'est pas un sens ultime, métaphysique. Je ne crois pas qu'on puisse parler du

« sens de la vie » d'une manière universelle, valable pour tous. Le plus souvent, la recherche de sens se traduit concrètement par un engagement dans l'action et dans les relations affectives. La construction d'une carrière professionnelle, par exemple, exige qu'on identifie une activité qui nous convienne, dans laquelle on peut s'épanouir et qu'on se fixe un but, des objectifs à atteindre. Il en va de même dans nos relations affectives : si nous décidons de construire une famille et d'élever des enfants, nous organisons notre vie en fonction de cette décision, et notre vie familiale donne sens à notre existence. D'autres encore donnent du sens à leur vie en aidant leur prochain, en se battant pour réduire les injustices, en consacrant du temps à ceux qui sont défavorisés ou en souffrance. Les contenus du « sens » peuvent varier d'un individu à l'autre, mais quoi qu'il en soit, nous faisons tous le constat qu'il est nécessaire, pour construire sa vie, de l'orienter, de lui assigner un but, une direction, de lui donner une signification.

Cette dimension apparaît de manière explicite dans la plupart des enquêtes contemporaines sur le bonheur, sous la forme d'une question du type : « Avez-vous trouvé un sens positif à votre vie ? » Tout autant que le plaisir, le sens apparaît comme essentiel au bonheur. Ainsi les sociologues placent-ils ces deux facteurs – plaisir et sens – parmi les premières raisons invoquées du « bien-être subjectif ». Ils ont également observé que le taux de plaisir et le sens que l'on donne à sa vie tendent à converger chez le même individu heureux : si une personne se définit comme ressentant beaucoup de plaisir, elle estimera aussi bien avoir trouvé un sens positif à sa vie[31].

Ce que les philosophes de l'Antiquité avaient bien compris et ce que les enquêtes scientifiques contemporaines confirment, les psychologues du XXᵉ siècle avaient plutôt tendance à le dissocier. Freud, on l'a vu, a montré que l'être humain est fondamentalement mû par la recherche du plaisir, mais la question du sens ne l'intéressait pas. Viktor Frankl – rescapé des camps de la mort et dont la pensée s'est construite à partir de cette terrible expérience – lui a répondu en défendant une thèse diamétralement opposée : l'être humain est fondamentalement mû par la quête de sens. Loin de se contredire, l'une et l'autre théories sont vraies : la nature même de l'être humain le pousse à rechercher, et le plaisir, et le sens. Il n'est véritablement heureux que lorsque sa vie lui est agréable et revêt une signification.

Qu'on atteigne ou non ses buts n'est d'ailleurs pas l'essentiel. Nous n'allons pas attendre d'avoir atteint tous nos objectifs pour commencer à être heureux. La voie compte plus que le but : le bonheur vient en cheminant. Mais le voyage nous rend d'autant plus heureux que nous avons plaisir à progresser, que la destination vers laquelle nous allons est identifiée (quitte à changer en cours de route) et qu'elle répond aux aspirations les plus profondes de notre être.

065A

4

Voltaire et l'imbécile heureux

> *Je me suis dit cent fois que je serais heureux si j'étais aussi sot que ma voisine, et cependant je ne voudrais pas d'un tel bonheur[32].*
>
> VOLTAIRE

Avons-nous besoin d'être savants et lucides pour être heureux ? Ou bien, au contraire, la connaissance et la lucidité ne constituent-elles pas des obstacles au bonheur, notamment dans la mesure où l'individu doté d'une connaissance et d'aspirations plus élevées en aura aussi une conception plus exigeante et sera plus conscient de ses imperfections qu'un être aux aspirations limitées ?

Voltaire a posé ces questions par le biais d'un petit conte[33]. C'est l'histoire d'un sage indien, fort lucide et savant, qui est malheureux car il ne parvient pas à trouver des réponses satisfaisantes aux questions métaphysiques qu'il ne cesse de se poser. À côté de lui vit une bigote ignare qui « n'avait jamais réfléchi un seul moment de sa vie sur un seul des points qui tourmentaient le bramin », et qui semblait la plus heureuse des femmes. À la question : « N'êtes-vous pas honteux d'être malheureux dans le temps qu'à votre porte il y a un vieil automate qui ne pense à rien, et qui vit content ? » le sage répond : « Vous avez raison, je me suis dit cent fois que je serais heureux si j'étais aussi sot que ma voisine, et cependant je ne voudrais pas d'un tel bonheur. »

Le problème de l'« imbécile heureux », en effet, est qu'il nage dans la félicité tant qu'il demeure ignorant ou que la vie ne l'accable pas. Mais, dès que nous avons un tant soit peu réfléchi à la vie ou que celle-ci ne répond plus à nos aspirations et besoins immédiats, nous perdons ce bonheur fondé sur les seules sensations et l'absence de distance réflexive. De surcroît, nier la pensée, la connaissance, la réflexion, c'est bannir une part essentielle de notre humanité, et nous ne pouvons plus nous satisfaire, dès que nous en avons conscience, d'un bonheur fondé sur l'erreur, l'illusion, une absence totale de lucidité. André Comte-Sponville souligne à juste titre que « la sagesse indique une direction : celle du maximum de bonheur dans le maximum de lucidité ». Et de rappeler que si le bonheur est le *but* de la philosophie, il n'en est pas la *norme*[34]. La norme de la philosophie, c'est la vérité. Même s'il poursuit le bonheur, celui qui use de sa raison préférera toujours une idée vraie, qui le rend malheureux, à une fausse, fût-elle agréable. « Si nous faisons cas du bonheur, nous faisons encore plus de cas de la raison », conclut également Voltaire dans son conte.

Voltaire et l'imbécile heureux

C'est là un des traits importants que nous n'avons pas encore évoqué : le bonheur illusoire ne nous intéresse pas. La raison nous permet de fonder le bonheur sur la *vérité*, non sur une illusion ou sur le mensonge. On peut certes se sentir très bien dans une situation illusoire ou biaisée. Mais ce bien-être-là est précaire. Le bonheur d'assister à une belle victoire de montagne dans une étape du Tour de France se transforme en amertume ou dégoût dès l'instant où on apprend que le vainqueur était dopé ! Prenons aussi l'exemple d'une femme qui s'éprend d'un homme marié, lequel s'est présenté à elle comme célibataire ; le bonheur de cette femme s'écroulera dès l'instant où éclatera la vérité. Par ailleurs, qui souhaiterait vivre dans la peau d'un fou même si celui-ci a le sentiment d'être le plus heureux des hommes ? C'est par le travail de la raison, l'exercice du discernement critique, la connaissance de soi que nous apprenons à fonder notre vie sur la vérité.

Si j'avais à en donner une définition très synthétique qui reprenne toutes les caractéristiques que nous venons d'évoquer au fil de ces premiers chapitres, je dirais que *le bonheur, c'est la conscience d'un état de satisfaction global et durable dans une existence signifiante fondée sur la vérité*. À l'évidence, les contenus de satisfaction sont variables selon les individus, leur sensibilité, leurs aspirations, la phase de leur vie qu'ils traversent. Sans occulter le caractère imprévisible et fragile du bonheur, le but de la sagesse est d'essayer de le rendre le plus profond et permanent possible, par-delà les aléas de la vie, les événements extérieurs, les émotions agréables ou désagréables du quotidien.

Mais tous les êtres humains aspirent-ils à la sagesse et au bonheur ?

5

Tout être humain
souhaite-t-il être heureux ?

> *Il est impossible que l'on soit heu-*
> *reux si l'on ne veut pas l'être ; il faut*
> *donc vouloir son bonheur et le faire*[35].
>
> ALAIN

On a maintes fois affirmé que l'aspiration au bonheur est la chose la plus universelle qui soit. Saint
Augustin écrit que « le désir de bonheur est essentiel
à l'homme ; il est le mobile de tous nos actes. La
chose au monde la plus vénérable, la plus entendue,
la plus éclaircie, la plus constante, c'est non seulement
qu'on veut être heureux, mais qu'on ne veut être que
cela. C'est à quoi nous force notre nature[36] ». Blaise
Pascal enfonce le clou : « C'est le motif de toutes les
actions de tous les hommes, jusqu'à ceux qui vont se
pendre[37]. » Cette aspiration est aussi soulignée dans
de nombreux autres univers culturels. Ainsi le moine
bouddhiste français Matthieu Ricard rappelle-t-il,
dans son beau *Plaidoyer pour le bonheur*, que « l'aspiration première, celle qui sous-tend toutes les autres,

est le désir d'une satisfaction assez puissante pour
nourrir notre goût de vivre. C'est le souhait : "Puisse
chaque instant de ma vie et de celle des autres être un
instant de joie et de paix intérieure[38]." » Cela parais-
sait à Platon d'une telle évidence qu'il se demandait
si la question méritait même d'être posée : « Qui, en
effet, ne désire être heureux[39] ? »

Il me semble pourtant nécessaire d'apporter ici
deux précisions importantes. D'abord, cette aspiration naturelle au bonheur ne signifie pas pour autant
que tout un chacun le recherche. On peut *aspirer*
au bonheur d'une manière naturelle et quasi incons-
ciente sans nécessairement le *poursuivre de manière
consciente et active*. Nombreux sont ceux qui ne se
posent pas explicitement la question de leur bonheur
tout en le poursuivant par la recherche du plaisir ou
la réalisation de leurs aspirations. Ils ne se disent
pas : « Je vais faire ceci ou cela pour être heureux »,
mais aspirent à trouver des satisfactions concrètes.
La somme et la qualité de ces satisfactions les ren-
dront plus ou moins heureux. D'autre part, on peut
aussi aspirer au bonheur sans le *vouloir*, et ce de
deux manières : d'abord en ne mettant pas en œuvre
les moyens nécessaires pour accéder au bonheur (on
aspire à être heureux, mais on ne fait rien, ou pas
grand-chose, pour y parvenir) ; ensuite et surtout,
on peut délibérément et consciemment renoncer
au bonheur. Car il n'apparaît pas à tous comme la
valeur suprême. Une valeur n'est pas le fruit d'un
besoin naturel, c'est une construction rationnelle ;
libre à chacun de placer une autre valeur au-dessus
de celle-là, quitte à sacrifier en partie la seconde à la

première, qu'il s'agisse de la justice ou de la liberté, par exemple. Libre aussi à chacun de ne pas vouloir le bonheur et de préférer une vie en dents de scie alternant moments heureux et phases de souffrance ou de spleen. Revenons sur ces différents points.

Nous avons vu avec Aristote et Épicure qu'un bonheur profond ne peut s'obtenir sans renoncer à certains plaisirs immédiats ni sans mener une réflexion sur nos choix et nos buts. Autrement dit, la poursuite d'un bonheur plus complet exige de nous intelligence et volonté. Nous allons nous fixer des buts susceptibles de nous rendre plus heureux et allons choisir les moyens nécessaires pour y parvenir.

Un passionné de musique, rêvant d'en faire son métier, consacrera plusieurs heures par jour à l'apprentissage d'un instrument ; il déploiera les efforts nécessaires pour parvenir à une excellente maîtrise de ce dernier, au détriment de certains loisirs et plaisirs. Plus il progressera, plus il aura plaisir à jouer et pourra prétendre à une carrière de musicien. Il sera heureux d'avoir pu réaliser son aspiration la plus profonde, mais en aura payé le prix par ses choix, son engagement, sa persévérance au travail. Un autre individu peut nourrir le même rêve, mais ne pas ordonner sa vie en fonction d'un tel but et continuer de jouer en dilettante ; il répétera des années durant à ses proches qu'il se sent une « âme de musicien », qu'il aimerait tant vivre de sa passion, mais, faute de persévérance et d'efforts, il n'y parviendra jamais et en éprouvera de la frustration. Il ne sera pas vraiment heureux, même s'il aura du plaisir chaque fois qu'il jouera de son instrument. Comme le souligne le philosophe Alain, « il est impossible que l'on soit heureux si l'on ne veut pas l'être ; il faut donc vouloir son bonheur et le faire[40] ».

D'autres peuvent passer à côté du bonheur en empruntant une mauvaise direction. Ignorant que le bonheur réside dans une maîtrise et une hiérarchie des plaisirs, certains s'absorbent dans une quête incessante et perpétuellement insatisfaite de plaisirs immédiats. D'autres n'ont pas compris qu'ils devaient accomplir un travail sur eux-mêmes pour progresser. C'est le cas de l'adolescent malheureux qui souffre de ne pas avoir d'« amoureuse » et qui ne fait rien pour surmonter son inhibition.

D'autres encore cherchent le bonheur uniquement à travers l'intensité du plaisir sensible. Ils se concentrent sur un plaisir ajusté à leurs goûts, mais comme celui-ci est éphémère, ils cherchent à le vivre le plus intensément possible, à ressentir des sensations extrêmes grâce au sport, à la musique, à la drogue, à l'alcool ou au sexe. Il leur faut aller toujours plus loin dans la sensation, parfois jusqu'à se détruire ou à mettre leur vie en danger. De manière plus courante, on fuit les moments d'inactivité qui nous ramènent à nous-mêmes, pour nous oublier dans une hyperactivité permanente, comblant de manière factice le vide de notre vie intérieure.

Il existe ainsi mille et une manières d'aspirer au bonheur sans le vouloir vraiment, sans mettre en œuvre les moyens nécessaires pour y accéder.

On peut aussi renoncer à poursuivre de manière consciente le bonheur *en tant que tel* parce qu'il nous semble si capricieux, si aléatoire qu'il paraît vain de s'épuiser à le rechercher. Mieux vaut, pense-t-on alors, s'évertuer à obtenir ce qu'on aime concrètement. On peut agir ainsi en suivant une certaine éthique épicurienne de la modération, tout comme, à l'inverse, on peut choisir de vivre « intensément » en décidant, par exemple, de boire et de fumer au détriment de sa santé, de se jeter dans des passions dévastatrices, de se laisser vivre au gré des humeurs du moment, quitte à connaître sans cesse des hauts et des bas, une alternance de bonheurs fugaces et d'accès de mélancolie.

6

Le bonheur n'est pas de ce monde :
Socrate, Jésus, Kant

> *Heureux vous qui pleurez mainte-*
> *nant : vous rirez*[41] *!*

JÉSUS

D'une tout autre manière, on peut renoncer à la poursuite volontaire du bonheur en plaçant une *valeur éthique* au-dessus de lui – la liberté, l'amour, la justice –, ou encore une morale, c'est-à-dire des règles de comportement juste. C'est le cas du grand philosophe allemand des Lumières Emmanuel Kant pour qui le bonheur ne doit pas être recherché en tant que tel, mais doit résulter d'une morale : « Fais ce qui te rend digne d'être heureux. » Le plus important est d'observer une ligne de conduite droite, conforme à la raison, d'accomplir son devoir. L'homme à la conscience tranquille peut s'estimer relativement heureux, quelles que soient les difficultés qu'il rencontre, car il sait comment agir de manière juste.

De fait, les enquêtes contemporaines montrent que la conscience de mener une vie morale ou religieuse empreinte de droiture est un indice important du bonheur. Kant a d'ailleurs été, semble-t-il, assez heureux de mener lui-même une existence sobre, vertueuse, ordonnée, qui a fait le désespoir des biographes épris d'anecdotes et de détails piquants. Demeuré célibataire, il ne quitta presque jamais sa ville natale de Königsberg où il fut longtemps précepteur avant d'enseigner à l'université. De manière assez paradoxale, il précise par ailleurs que c'est un *devoir*, pour l'homme, d'être aussi heureux que possible, car cela lui évite de succomber à la « tentation d'enfreindre ses devoirs[42] ». Il inverse ainsi la problématique grecque selon laquelle l'éthique est au service du bonheur : pour lui, c'est le bonheur qui est au service de la morale ! À ses yeux, en effet, le bonheur plein et complet n'existe pas sur terre : ce n'est qu'un « idéal de l'imagination[43] ». Il en conclut qu'on ne peut raisonnablement espérer atteindre au bonheur véritable qu'après la mort (béatitude éternelle), comme récompense accordée par Dieu à ceux qui ont su mener une existence morale juste. Il rejoint par là la doctrine de nombreuses religions selon lesquelles un bonheur profond, stable et durable ne peut exister que dans l'au-delà, et sera déterminé par la qualité de la vie religieuse et morale menée ici-bas.

Cette croyance avait déjà cours dans la Grèce ancienne : la vie bienheureuse y était promise dans les Champs Élysées aux héros et aux hommes vertueux. Elle s'est développée aussi en Égypte et dans le judaïsme tardif avant de connaître un essor considérable avec le christianisme et l'islam. À l'idéal de sagesse on préfère alors celui de la sainteté. Tandis que le sage aspire d'abord au bonheur sur terre, le saint aspire par-dessus tout à la félicité dans l'au-delà, auprès de son Créateur.

La fin de vie de Jésus en fournit une bonne illustration : parce qu'il aspire, comme tout être humain, au bonheur, il n'a nulle envie de souffrir ni de se laisser arrêter par les gardes des grands prêtres, pour être livré à Ponce Pilate et mis à mort. D'où cette scène saisissante d'angoisse, au mont des Oliviers, quelques heures avant son arrestation, décrite par l'évangéliste Matthieu : « Prenant avec lui Pierre et les deux fils de Zébédée, il commença à ressentir tristesse et angoisse, il leur dit alors : "Mon âme est triste à en mourir ; demeurez ici et veillez avec moi." Étant allé un peu plus loin, il tomba face contre terre en faisant cette prière : "Mon Père, si c'est possible, éloigne de moi cette épreuve. Cependant non par ma volonté, mais par la Tienne[44]." » En dépit de son angoisse, Jésus accepte pourtant de faire don librement de sa vie, car il entend rester fidèle à la voix de la vérité qui le guide (celle de celui qu'il appelle son « Père »), au lieu de se sauver et de s'enfuir comme ses disciples le lui ont suggéré. Il a sacrifié son bonheur terrestre par fidélité à la vérité et à un message d'amour qui entre en contradiction avec le légalisme religieux qui place la rigidité de la Loi au-dessus de tout.

La fin de Socrate est assez similaire à celle de Jésus en ce qu'il refuse lui aussi de fuir, pour boire la ciguë, un poison létal, et obéir ainsi aux juges qui l'ont condamné à la peine capitale. Jugement inique en l'occurrence, mais Socrate ne veut pas désobéir aux lois de la Cité, considérant que tout citoyen doit s'y soumettre. Au nom de ses propres valeurs, il renonce donc au bonheur et à la vie. Socrate qui, à certains égards, ressemble plus à un saint qu'à un sage, se méfie d'ailleurs du mot « bonheur ». Il préfère, selon Platon, parler de la quête d'une vie « bonne », fondée en raison sur des valeurs comme le bien, le beau, le juste, plutôt que de la recherche d'une vie « heureuse » qui risque de se faire au détriment de la justice : un tyran, un égoïste, un lâche ne vont-ils pas, eux aussi, poursuivre le bonheur ?

Si Jésus ou Socrate ont sacrifié leur vie au nom d'une vérité ou de valeurs plus élevées que le bonheur terrestre, ils croyaient et aspiraient à un bonheur suprême après la mort. Jésus était convaincu qu'il se relèverait de la mort pour connaître dans l'au-delà un bonheur éternel auprès de Dieu. L'Apocalypse, ultime livre de la Bible chrétienne, décrit ainsi la « Jérusalem céleste », métaphore de la Vie éternelle : « Voici la demeure de Dieu avec les hommes. [...] Il essuiera toutes larmes de leurs yeux, et la mort n'existera plus ; et il n'y aura plus de pleurs, de cris ni de tristesse ; car l'ancien monde s'en est allé[45]. » Socrate était également persuadé qu'il existait dans l'au-delà, pour les hommes justes, un lieu de félicité auquel il aspirait[46]. Leur quête a en somme été celle d'un bonheur *différé*.

Ce n'est pas toujours le cas. On rencontre des hommes qui ne croient nullement en une vie après la mort et qui sont prêts à sacrifier leur vie au nom d'un idéal supérieur au bonheur. Combien y ont ainsi renoncé pour lutter contre une oppression, une injustice ? Lorsqu'il se tient devant les chars, place

Tienanmen, en juin 1989, le jeune étudiant chinois qui risque la mort a fait de la lutte contre la dictature sa valeur suprême et espère juste que son geste servira à faire progresser la cause de la liberté. Il en a été de même pour Nelson Mandela en Afrique du Sud, comme pour tous ceux qui ont risqué ou sacrifié leur vie – et continuent de le faire – pour une cause dont ils estiment qu'elle dépasse et vaut davantage que leur bonheur individuel.

Voilà qui nous interroge à double titre : jusqu'à quel point ces actes héroïques, dans la mesure où ils répondent aux aspirations les plus profondes des individus concernés, ne leur procurent-ils pas un certain bonheur ? Tout en souffrant de perdre la vie, Socrate et Jésus ne sont-ils pas en même temps heureux de la donner pour une noble raison et, ce faisant, n'agissent-ils pas conformément à leur nature profonde ?

7

De l'art d'être soi-même

> *Le bonheur le plus grand est la personnalité* [47].
>
> Goethe

En implacable observateur de la nature humaine, scrutant le mobile profond qui incite chacun à se conformer à sa nature, Gustave Flaubert décrit le noyau d'égoïsme qui sous-tend la poursuite de nos aspirations et la réalisation de nos actions : « Depuis le crétin qui ne donnerait pas un sou pour racheter le genre humain, jusqu'à celui qui se jette sous la glace pour sauver un inconnu, est-ce que tous, tant que nous sommes, nous ne cherchons pas, suivant nos instincts divers, la satisfaction de notre nature ? Saint Vincent de Paul obéissait à un appétit de charité, comme Caligula à un appétit de cruauté. Chacun jouit à sa mode et pour lui seul ; les uns en réfléchissant l'action sur eux-mêmes, en s'en faisant la cause, le centre et le but, les autres en conviant le monde entier au festin de leur âme. Il y a là la différence des prodigues et des avares.

Les premiers prennent plaisir à donner, les autres à garder[48]. »

Être heureux, c'est avant tout satisfaire les besoins ou les aspirations de notre être : un silencieux recherchera la solitude, un bavard la compagnie des autres. Comme les oiseaux vivent dans l'air et les poissons dans l'eau, chacun doit évoluer dans l'atmosphère qui lui convient. Certains humains sont faits pour vivre dans le bruit des villes, d'autres dans le calme de la campagne, d'autres encore ont besoin des deux. Certains sont faits pour une activité manuelle, d'autres intellectuelle, d'autres relationnelle, d'autres encore artistique. D'aucuns ont besoin de fonder une famille et aspirent à une vie de couple durable, d'autres à des relations diverses au long de leur vie. Nul ne pourra être heureux s'il veut aller à contre-courant de sa nature profonde.

L'éducation et la culture sont précieuses, car elles nous inculquent la nécessité de la limite, de la loi, du respect d'autrui. Il est essentiel non seulement d'apprendre à se connaître, mais aussi à éprouver nos forces et nos faiblesses, à corriger et à améliorer en nous ce qui peut l'être, mais sans chercher à distordre ou à contrecarrer notre être profond. Or l'éducation et la culture peuvent parfois nous empêcher de déployer notre sensibilité, nous faire dévier de notre vocation ou de nos légitimes aspirations. C'est la raison pour laquelle nous devons parfois apprendre à devenir nous-mêmes par-delà les schémas culturels et éducatifs qui ont pu nous détourner de ce que nous sommes. C'est ce que le psychologue suisse Carl Gustav Jung appelle le « processus d'individuation », qui se réalise bien souvent aux alentours de la quarantaine, quand nous dressons un premier bilan de notre existence. Nous pouvons alors découvrir que nous ne sommes pas assez nous-mêmes, que nous cherchons à faire plaisir aux uns et aux autres sans nous respecter, voulant donner une image idéale ou factice pour être aimé ou reconnu, que nous avons pu mener une vie affective ou professionnelle qui n'était pas conforme à ce que nous sommes. Nous chercherons dès lors à avoir une meilleure connaissance de notre individualité et à mieux tenir compte de notre sensibilité.

« Le bonheur le plus grand est la personnalité », écrit Goethe[49]. Car ce ne sont pas tant les événements qui comptent, que la manière dont chacun les ressent. Développer sa sensibilité, affirmer son caractère, affiner ses dons et ses goûts compte plus que les objets extérieurs pouvant procurer du plaisir. Nous pouvons déguster le meilleur vin du monde et n'en retirer aucun plaisir si notre nature est allergique au vin ou si nous n'avons pas assez affiné nos facultés gustatives et olfactives.

Le bonheur consiste à vivre selon notre nature profonde, en développant notre personnalité pour nous permettre de jouir de la vie et du monde avec la sensibilité le plus riche possible. Un enfant peut être extraordinairement heureux avec un jouet unique et rudimentaire s'il a su développer son imagination et sa créativité, alors qu'un autre s'ennuiera avec cent jouets sophistiqués s'il ne sait tirer du plaisir que de la possession d'objets nouveaux.

8

Schopenhauer :
Le bonheur est dans notre sensibilité

> *Notre bonheur dépend de ce que nous sommes*[50].
>
> ARTHUR SCHOPENHAUER

Contemporain de Flaubert, le philosophe allemand Arthur Schopenhauer reprend l'idée de Goethe et va même encore plus loin puisqu'il est convaincu que notre nature nous prédispose à être heureux ou malheureux. Pour lui, notre sensibilité (nous dirions aujourd'hui nos gènes) détermine notre aptitude au bonheur ou au malheur. La première condition nécessaire pour être heureux, serait... d'avoir un tempérament heureux ! Une gaieté de caractère, dit-il, qui « détermine la capacité pour les souffrances et les joies[51] ». Platon avait déjà établi une distinction entre les tempéraments grincheux (*duskolos*), qui ne se réjouissent guère des événements qui leur sont favorables et s'irritent de ceux qui leur sont défavorables, et les tempéraments gais (*eukolos*) qui se réjouissent au contraire des événements favorables et ne s'irritent pas des événements défavorables. Nous dirions aujourd'hui qu'il y a ceux qui voient toujours le verre à moitié vide et ceux qui le voient toujours à moitié plein.

« Notre bonheur dépend de *ce que nous sommes*, de notre individualité, alors qu'en général on ne prend en compte que notre destin et *ce que nous avons* », poursuit Schopenhauer. Et d'ajouter avec cet humour grinçant qui le caractérise : « Le destin peut s'améliorer, et la frugalité ne lui réclame pas grand-chose : mais un sot reste un sot et un gros balourd reste un gros balourd pour l'éternité, seraient-ils entourés de houris au paradis[52]. » La seule chose qui nous reste à faire est d'apprendre à nous connaître pour mener une existence le plus conforme possible à notre nature. Mais, pour Schopenhauer, on ne peut pas changer : un colérique continuera à s'emporter, un peureux restera un pleutre, un anxieux un anxieux, un optimiste un optimiste, de même qu'un maladif demeurera un maladif, une force de la nature une force de la nature, etc. Et le philosophe de Francfort de distinguer entre :

• Ce que nous sommes : personnalité, force, beauté, intelligence, volonté… ;
• Ce que nous avons : avoirs et possessions ;
• Ce que nous représentons : position sociale, renommée, gloire.

Pour la majorité des gens, les deux derniers points semblent les plus importants : on pense souvent que le bonheur dépend pour l'essentiel de nos biens et de l'importance que nous revêtons dans le regard des autres. Il n'en est rien, affirme Schopenhauer :

insatisfaction permanente, compétition, rivalité, vicissitudes, aléas du destin, etc., auront tôt fait de ruiner
notre bonheur s'il se fonde uniquement sur l'*avoir*
et sur le *paraître*. Pour lui, le bonheur réside donc
fondamentalement dans l'*être*, dans ce que nous
sommes, dans notre contentement intérieur, fruit de
ce que nous ressentons, comprenons, voulons : « Ce
que quelqu'un possède pour soi, ce qui l'accompagne
dans la solitude et que personne ne peut ni lui donner
ni lui prendre, voilà qui est beaucoup plus essentiel
que tout ce qu'il possède ou ce qu'il est aux yeux
des autres[53]. »

Si je partage cette vision des choses, c'est en
partie seulement. L'expérience montre en effet que
le bonheur est intimement lié à notre sensibilité,
à notre caractère, à notre personnalité. Certains
individus sont beaucoup plus enclins que d'autres
à être heureux : parce qu'ils ont une bonne santé,
parce qu'ils sont optimistes, d'une nature joyeuse,
parce qu'ils voient spontanément le bon côté des
choses, parce qu'ils ont une structure affective ou
émotionnelle équilibrée, etc. J'adhère tout autant à
l'affirmation selon laquelle nos dispositions intimes
nous rendent heureux ou malheureux bien davantage
que ne le font nos possessions ou nos réussites. Ce
qui m'a permis d'être plus heureux au fil des ans,
ce n'est pas tant la réussite sociale ou matérielle
– même si elle a pu y contribuer – que le *travail
intérieur* qui m'a permis de m'améliorer, de panser
des blessures du passé, de transformer ou dépasser
des croyances qui me rendaient malheureux, mais

aussi de m'accorder le droit de m'accomplir pleinement sur les plans personnel et social, droit que je me suis longtemps refusé. C'est en revanche sur ce point que je diverge d'avec Schopenhauer. S'il a raison de souligner que le bonheur relève essentiellement de la sensibilité et de la personnalité, il sous-estime grandement le fait qu'on puisse, par un travail sur soi, agir précisément sur sa propre sensibilité pour la rendre plus épanouie, et, par là même, mieux parvenir à réaliser ses aspirations les plus profondes.

Il y a d'ailleurs chez le philosophe une curieuse contradiction à postuler un quasi-déterminisme génétique et à proposer dans le même temps des règles de vie pour être plus heureux ! Sans doute parce qu'il a été assez malheureux au long de sa vie, Schopenhauer espère en la sagesse plus qu'il n'y croit. Maladif depuis l'enfance, il fut profondément marqué par le suicide de son père, alors qu'il était âgé de dix-sept ans, et allait connaître toute sa vie de fortes souffrances et de lourdes frustrations affectives. Ce fut d'abord une passion non partagée pour une actrice, qui lui causa une violente déception. Durant la composition de son chef-d'œuvre, *Le Monde comme volonté et comme représentation*, il entretient une relation avec une femme de chambre qui va mettre au monde un enfant mort-né. Puis il doit renoncer à se marier avec une femme tombée gravement malade. Plus tard, il s'éprend d'une cantatrice qui ne peut mener une grossesse à terme. Il renonce dès lors à tout projet de mariage. Mais sa vie professionnelle ne lui procura pas plus de joie. Malgré tous les espoirs qu'il a placés en son livre, celui-ci passe totalement inaperçu et le demeure pendant plus de trente ans. Sa carrière universitaire devait aussi lui valoir de cruelles déceptions : ses cours à l'université furent régulièrement annulés... faute d'auditeurs. C'est à tel point qu'il dut renoncer, la mort dans l'âme, à enseigner. On comprend dès lors sa vision pessimiste de la vie... sans nécessairement la partager.

J'ai fait l'expérience inverse qu'il est possible, par des exercices psychologiques et spirituels, de modifier le regard qu'on porte sur soi et sur le monde. Je pense donc, comme Schopenhauer, que le bonheur et le malheur sont en nous, et qu'« avec le même environnement, chacun vit dans un autre monde[54] ». Mais je suis convaincu, contrairement à lui, que nous pouvons modifier notre monde intérieur.

Des milliers d'études sociologiques sur le bonheur ont été publiées depuis une trentaine d'années, notamment aux États-Unis. Elles ne disent pas autre chose que ce que nous venons d'évoquer. On peut les résumer par ces trois conclusions :

• Il existe une prédisposition génétique à être heureux ou malheureux.

• Les conditions extérieures (cadre géographique, lieu de vie, milieu social, statut marital, richesse ou pauvreté, etc.) exercent à cet égard une faible influence.

• On peut être plus ou moins heureux en modifiant la perception qu'on a de soi-même et de la vie, en modifiant son regard, ses pensées, ses croyances.

Le Pr Sonja Lyubomirsky, qui dirige le département de psychologie de l'université de Californie, à Riverside, affirme qu'on peut estimer à environ 50 % les aptitudes au bonheur dépendant de la sensibilité de l'individu (déterminants génétiques), à 10 % celles relevant de son cadre de vie et des conditions extérieures, à 40 % celles qui sont tributaires de ses efforts personnels[55].

9

L'argent fait-il le bonheur ?

*Tu ne seras jamais heureux tant que
tu seras torturé par un plus heureux[56].*

SÉNÈQUE

En période de crise économique, où de plus en plus
de personnes souffrent de précarité, et quand on
gagne soi-même bien sa vie, on hésite à écrire que
l'argent ne rend pas nécessairement plus heureux. On
connaît l'apostrophe savoureuse de Jules Renard : « Si
l'argent ne fait pas le bonheur, rendez-le ! » Il n'empêche
que la plupart des enquêtes sociologiques effectuées de
par le monde tendent à démontrer que l'argent n'est
pas un élément déterminant du bonheur des individus.
En 1974, l'économiste américain Richard Easterlin a
publié un article célèbre et dérangeant dans lequel il
souligne que si le revenu brut par habitant fit dans
son pays un bond extraordinaire de 60 % entre 1945
et 1970, la proportion de personnes s'estimant « très
heureuses » n'avait absolument pas varié (40 %). La
hausse notable des revenus et les bouleversements des
modes de vie liés à l'accroissement du confort matériel

n'avaient pas eu d'impact sensible sur la satisfaction des individus. Cet article suscita un malaise dans les milieux économiques, car il remettait en question l'une des croyances les mieux ancrées chez les Américains, selon laquelle la prospérité économique est une des principales causes de bonheur, conformément à la formule magique du capitalisme libéral : hausse du PIB = accroissement du bien-être individuel et collectif.

Les statistiques de l'Insee révèlent le même phénomène en France : entre 1975 et 2000, alors qu'on observe une croissance globale du PIB supérieure à 60 %, la proportion de personnes se déclarant « plutôt satisfaites ou très satisfaites » de leur vie stagne autour de 75 %. Les statistiques sont plus cruelles dans certains autres pays européens. En Grande-Bretagne, par exemple, alors que la richesse nationale a presque triplé en un demi-siècle, les individus se déclarant « très heureux » sont passés de 52 % en 1957 à 36 % en 2005.

Une autre manière d'aborder la question consiste à comparer l'indice de satisfaction de la vie dans des pays aux niveaux de richesse très disparates. On pourrait imaginer que les gens sont plus heureux dans les pays riches que dans les pays pauvres ou dits en voie de développement. Or il n'en est rien : le taux de satisfaction est sensiblement le même aux États-Unis ou en Suède qu'au Mexique ou au Ghana, alors que le revenu par habitant de ces pays diverge sur une échelle de un à dix.

Les enquêtes font apparaître un autre phénomène intéressant : le rôle déterminant de la comparaison sociale dans le sentiment de bonheur. Ou l'application sociologique de la célèbre formule de Jules Renard :

« Il ne suffit pas d'être heureux, encore faut-il que les autres ne le soient pas ! » L'appréciation que nous portons sur notre propre situation est influencée par sa comparaison avec celle d'autres personnes vivant à proximité ou dans un environnement social proche du nôtre. Notre bonheur apparaît comme relatif, rapporté à celui des autres. « Être pauvre à Paris, c'est être pauvre deux fois », constatait déjà Émile Zola. Le chercheur américain Michael Hagerty (université de Californie, à Davis) a ainsi montré que des habitants de communes à forte disparité de revenus ont un taux de bonheur moindre que ceux habitant dans des communes où les revenus sont assez similaires : la comparaison avec le haut de l'échantillon (ceux qui gagnent le plus) accroît l'insatisfaction de ceux qui gagnent moins. Une autre étude, menée cette fois parmi les étudiants, nous apprend qu'une forte majorité d'entre eux (62 %) se sentirait « plus heureux » de décrocher un premier emploi rémunéré 33 000 dollars par an, sachant que leurs camarades de promotion auraient obtenu un poste payé 30 000 dollars, plutôt que d'obtenir un emploi rémunéré 35 000 dollars, sachant que les autres gagneraient 38 000 dollars[57] !

Voilà qui révèle la nocivité d'une trop forte disparité des revenus au sein d'une même société, par la frustration qu'elle engendre, mais aussi combien la « globalisation médiatique » peut avoir un effet négatif sur le bonheur des individus qui sont de plus en plus enclins à comparer leurs avoirs à ceux des autres, non seulement dans leur environnement proche, mais même à l'échelle planétaire. Or comme il est impossible que tous bénéficient du mode de vie des plus riches, l'insatisfaction sévit chez des individus qui auraient pu se satisfaire de leur sort sans cette comparaison.

Cela montre combien il est important, pour être heureux, d'éviter de se mesurer à plus heureux ou plus prospère que soi ! Ce que le philosophe stoïcien Sénèque a résumé dans cette belle formule : « Tu ne seras jamais heureux tant que tu seras torturé par un plus heureux[58]. » Sénèque rangeait au demeurant l'argent parmi les choses dites « préférables ». À la manière d'Aristote, il pensait qu'il valait mieux disposer de biens en suffisance que d'en être privé. Mais, comme la plupart des philosophes de l'Antiquité, il considérait aussi qu'une trop grande abondance de biens non seulement n'était pas nécessaire au bonheur, mais pouvait aussi lui nuire à cause des soucis inhérents à la richesse : peur d'être volé, temps important consacré à la gestion de ses biens, jalousie d'autrui, etc. La fable de La Fontaine *Le Savetier et le Financier* en est une parfaite illustration. Un manque cruel d'argent peut à l'évidence entraver le bonheur en mobilisant toutes les énergies sur des activités de survie et en empêchant de réaliser ses véritables aspirations. Certes, un minimum d'argent contribue au bonheur, mais la poursuite incessante de l'enrichissement est tout aussi néfaste. Pour ne pas devenir l'esclave de l'argent, affirment les sages de l'Antiquité, il faut, dès l'instant où nous sommes satisfaits dans nos besoins fondamentaux, savoir limiter nos désirs matériels pour accorder plus de place à notre famille, à nos amis, à nos passions et à notre vie intérieure.

L'argent fait-il le bonheur ?

Les enquêtes d'opinion révèlent à cet égard un paradoxe fort intéressant. Lorsqu'on pose la question : « Quelles sont les choses qui vous semblent être les plus importantes pour être heureux ? », l'argent et le confort matériel n'apparaissent pas parmi les principaux facteurs de satisfaction. À travers tous les continents, les gens plébiscitent la famille, la santé, le travail, l'amitié et la spiritualité comme piliers du bonheur. Notons au passage que le dernier point est très faible en France, alors qu'il est important dans les nombreux pays où la foi religieuse est davantage ancrée. Aux États-Unis par exemple, les gens pratiquant une religion seraient plus heureux et vivraient en moyenne sept années de plus que les autres (moins d'alcool, de drogue, de suicides, de dépressions, de divorces). Maintenant, lorsqu'on pose la question : « Quelles sont les choses que vous aimeriez avoir pour être plus heureux aujourd'hui ? », la majorité des sondés répondent « l'argent » (juste avant la santé).

Pourquoi avons-nous le sentiment que l'argent nous permettrait d'être plus heureux dès lors que nous estimons dans le même temps qu'il est moins déterminant que la famille, l'amitié ou la santé par exemple ? Un individu riche mais en mauvaise santé ou dépourvu de liens affectifs sera assurément moins satisfait de sa vie qu'un individu aux revenus modestes, en bonne santé, heureux dans sa vie relationnelle. J'y vois trois explications.

La première est que nous aspirons à ce que nous n'avons pas et que nous rangeons naturellement l'accroissement de notre bien-être parmi ce qui nous manque le plus. La plupart des gens qui répondent aux enquêtes d'opinion sont plutôt en bonne santé et sans doute assez satisfaits de leur vie affective et professionnelle. Mais ils estiment qu'ils seraient plus heureux s'ils avaient ce qui leur paraît leur faire le plus cruellement défaut : de l'argent. Et cela d'autant plus que nous traversons la plus grave crise économique de l'après-guerre, tout en vivant dans un univers qui ne cesse d'exciter le désir de possession. Le matraquage publicitaire et le spectacle de la richesse d'autrui finissent par aiguiser plus que de raison nos appétits matériels, et le besoin d'argent se fait davantage sentir. Quelques études récentes, qui demandent à être confirmées, font d'ailleurs apparaître pour la première fois un lien entre bonheur et croissance économique[59]. Même si nous disposons d'un toit et de quoi manger, nous pouvons souffrir de ne pas (ou plus) partir en vacances ou de ne pas avoir les moyens de nous offrir une tablette numérique. Jean-Jacques Rousseau faisait déjà remarquer au milieu du XVIIIe siècle que l'on s'habitue très vite au confort que permet le progrès technique. Ce qui était au départ de simples *commodités* devient rapidement des *besoins*, et on est « malheureux de les perdre sans être heureux de les posséder[60] ». Que dirait-il aujourd'hui où vivre sans voiture, sans télévision, sans ordinateur ni téléphone portable semble impensable à l'immense majorité de ceux qui ont déjà fait l'acquisition de tels objets ?

La seconde raison du paradoxe évoqué ci-dessus est que nous traversons une période de grande incertitude. Nous sommes beaucoup plus « insécurisés » que nos parents qui ont connu en France les Trente Glorieuses : nul ou presque n'est aujourd'hui à l'abri du chômage et d'une plus ou moins grande précarité. Le besoin d'argent se fait sentir non seulement chez certains pour arriver à joindre les deux bouts, mais chez d'autres qui souhaitent se donner une marge de sécurité face à un avenir incertain et anxiogène.

Enfin, l'argent représente bien davantage que la simple acquisition de biens matériels. Il peut aussi nous permettre d'assouvir nos passions, de voyager, de vivre de manière plus autonome. Autant d'excellentes raisons de le désirer non comme une fin en soi, mais comme un moyen de nous faciliter l'existence et de nous aider de surcroît, parfois, à réaliser nos aspirations profondes.

10

Le cerveau des émotions

> *Celui qui change son cerveau change sa vie* [61].
>
> RICK HANSON

L e XXᵉ siècle a été le théâtre de fabuleuses découvertes scientifiques tant dans le domaine de l'infiniment grand (astrophysique) que dans celui de l'infiniment petit (physique quantique), ou encore dans les sciences de la vie. Il restait toutefois un continent quasiment inexploré : le cerveau humain. Depuis une trentaine d'années, il fait l'objet de nombreuses études, et le XXIᵉ siècle sera certainement celui de la découverte des secrets de sa complexité, voire, très probablement, celui d'une meilleure compréhension du fonctionnement de notre esprit et de ses interactions avec le corps.

Les premières recherches ont déjà permis de mettre au jour une extraordinaire chimie du cerveau qui influe directement sur notre bien-être. On a ainsi découvert que certaines molécules produites dans l'encéphale jouent un rôle important dans notre

équilibre émotionnel. Plus d'une soixantaine de neurotransmetteurs (ou neuromédiateurs) occupent la
scène du cerveau[62]. Ces substances dérivent d'acides
aminés et assurent la communication d'un neurone à
l'autre grâce à l'influx nerveux, en favorisant la pro-
pagation de celui-ci ou en l'inhibant. Les effets des
neuromédiateurs diffèrent selon la zone dans laquelle
ils entrent en action. L'excès de l'un peut entraîner la
carence d'un autre. Chaque lobe du cerveau reçoit du
système nerveux des influx électriques qu'il va s'occu-
per à convertir en message chimique, et c'est de cette
transformation que dépend l'harmonie cérébrale. Les
neurotransmetteurs sont perturbés par une alimentation déséquilibrée, des débordements émotionnels ou
le manque de sommeil.

Le neurobiologiste Eric Braverman a utilisé le test
Brain Electrical Activity Map (BEAM) pour étudier
le fonctionnement électrique du cerveau[63]. Conçue
dans les années 1980 par les chercheurs de la faculté
de médecine de Harvard, cette technique d'imagerie
cérébrale permet d'examiner si le cerveau est équilibré ou bien déséquilibré en dopamine, acétylcholine,
GABA (acide gamma-aminobutyrique) et sérotonine.
La dopamine correspond à l'énergie et à la motivation, l'acétylcholine aide à la créativité et à la mémorisation, le GABA est relaxant et apporte la stabilité
de l'humeur, la sérotonine est couplée à la joie de
vivre, au sentiment de satisfaction. Pour Braverman,
ces quatre principaux neuromédiateurs du cerveau
exercent une forte influence sur nos comportements.

Ainsi, une personne ayant un bon équilibre en GABA va avoir tendance à se montrer bienveillante et dévouée ; elle sera aussi capable d'accueillir les problèmes avec un certain détachement. Ce neuro-médiateur est également impliqué dans la production d'endorphines, molécules libérées pendant l'effort physique, que ce soit le sport ou les relations sexuelles, créant une sensation d'euphorie. Mais si le GABA se trouve en excès dans le cerveau, la personne sera encline à se sacrifier pour les autres et à devenir dépendante d'eux. En revanche, une sévère carence du même neurotransmetteur peut générer une certaine instabilité et une propension à perdre le contrôle de soi.

La dopamine, sécrétée en majorité par les lobes frontaux, est synonyme d'appétit de vivre, de motivation, de prise de décision. Lorsque c'est elle qui prédomine, la personnalité est vive, extravertie, elle aime le pouvoir mais peut avoir du mal à accepter la critique. En excès, la molécule peut conduire à des actes impulsifs et violents.

L'acétylcholine, fabriquée dans le lobe pariétal, est liée à la créativité, à l'intuition, à la sociabilité, au goût de l'aventure ainsi qu'à la mémoire. En excès, elle peut donner lieu à un altruisme excessif ; l'individu va jusqu'à penser que son entourage profite de ses bons services et devenir paranoïaque. Un manque fait perdre le sens des réalités et la capacité de concentration.

La sérotonine, que l'on trouve dans le raphé et jusque dans l'intestin grêle, est impliquée dans la joie de vivre, l'optimisme, le contentement, la sérénité, le sommeil et dans l'harmonisation des deux hémisphères cérébraux. En excès, elle peut engendrer une grande nervosité et un manque de confiance en soi : la personne va se sentir agressée par la moindre critique et sera « pathologiquement paniquée à la perspective de déplaire ». À cause d'une carence en sérotonine, elle se sentira rejetée par ses proches et se repliera sur elle-même ; la dépression est un symptôme fréquent d'un déficit en sérotonine.

En sus des neurotransmetteurs, le cerveau subit l'influence des hormones, substances sécrétées par les glandes endocrines telles que l'hypophyse, la thyroïde, les surrénales et les glandes génitales. Elles peuvent également être fabriquées par le pancréas qui sécrète de l'insuline, ainsi que par l'hypothalamus qui, lui, sécrète l'ocytocine dont nous allons parler ci-après.

Libérées dans le sang par ces glandes endocrines et ces organes, les hormones vont en général se lier à une protéine qui régule leur action pour assurer le bon fonctionnement d'un grand nombre de fonctions physiologiques comme le métabolisme des cellules, le développement sexuel ou encore la réaction du corps au stress. Enfin, comme une clef trouvant la bonne serrure, l'hormone se fixe sur le récepteur qui lui correspond, situé sur son organe cible, et aide ainsi l'organisme à s'adapter et à faire face aux besoins qui se présentent.

Parmi les hormones qui jouent un rôle dans le bien-être ou les émotions positives, on trouve l'ocytocine, synthétisée dans l'hypothalamus, qui est libérée lors de l'orgasme, de l'accouchement et de l'allaitement. Ce polypeptide joue un rôle positif dans la confiance que l'on accorde aux autres, il favorise l'empathie, la générosité et motive le désir d'aider. L'ocytocine réduit également le stress et l'anxiété que l'on peut éprouver en situation sociale[64].

Le système hormonal s'autorégule par un effet de feed-back qui encourage ou freine la production des hormones. Mais celles-ci sont souvent déréglées par le stress, ainsi que par des perturbateurs qui vont miner, bloquer ou modifier l'action de telle ou telle hormone, engendrant des effets nocifs dans le fonctionnement de l'organisme. Outre le mercure et le plomb, citons parmi ces indésirables le bisphénol A et les phtalates que l'on trouve dans de nombreux plastiques présents dans notre environnement immédiat, et les parabens qui entrent dans la composition de certains cosmétiques ainsi que dans celle des aliments industriels et de centaines de produits pharmaceutiques.

Un autre facteur de bien-être, récemment mis en avant par les spécialistes du cerveau, est la longueur d'un gène (5-HTTLPR) qui détermine la fabrication d'une molécule responsable du transport de la sérotonine dont nous venons de voir qu'elle est le neurotransmetteur favorisant l'optimisme, la joie de vivre, la sérénité. Variable selon les individus, la longueur de ce gène exerce une influence non négligeable sur nos humeurs. Une étude menée aux États-Unis sur 2 574 personnes vient de montrer qu'un gène court, qui fournit moins de transporteur qu'un gène long, rend le sujet plus sensible aux événements stressants, alors qu'un gène long lui permet au contraire de mieux retenir les événements positifs[65].

Notre vie émotionnelle est ainsi considérablement influencée par notre cerveau et par toutes les substances chimiques sécrétées par notre corps. Celles-ci exercent un rôle important dans notre aptitude au bonheur ou au malheur, ainsi que l'avait pressenti Schopenhauer sans avoir, à l'époque, aucune connaissance du fonctionnement chimique de notre organisme. Mais si l'on peut avoir l'impression que neuromédiateurs et hormones nous déterminent, diverses études scientifiques montrent que l'on peut aussi agir sur eux en modifiant peu à peu nos habitudes et nos comportements. On a ainsi récemment découvert notre extraordinaire neuroplasticité : le cerveau se modifie continuellement, en fonction de nos expériences, en fabriquant de nouveaux neurones ou de nouvelles connexions neuronales.

En montrant que notre aptitude au bonheur est influencée par notre patrimoine génétique et par les sécrétions chimiques de notre organisme, tout en n'étant pas entièrement fixée par elle, puisqu'elle est susceptible d'évoluer en fonction de notre alimentation, de nos comportements, de nos modes de vie, la science contemporaine infirme en définitive l'hypothèse, maintes fois suggérée, du déterminisme génétique. La quête du « gène du bonheur » est un pur fantasme. Nos gènes conditionnent certes de manière importante notre disposition au bonheur, mais ils ne la déterminent pas. Ils fondent en grande partie notre structure émotionnelle, mais nous pouvons agir sur nos émotions et nos états d'âme. C'est ce qu'avait fort bien compris et expliqué il y a plus de trois cent cinquante ans un philosophe juif hollandais nommé Baruch Spinoza, comme nous le verrons à la fin de cet ouvrage.

11

De l'art d'être attentif...
et de rêver

Pendant que l'on attend de vivre, la vie passe[66].

SÉNÈQUE

Nous avons déjà souligné que la qualité de conscience que nous en avons est en soi un facteur déterminant du bonheur. Plus nous sommes conscients de nos expériences positives, plus notre plaisir et notre bien-être augmentent. Acte réflexif, la conscience nous permet de « savourer » notre bonheur et, en retour, il n'en est que plus intense, profond et durable. De manière tout aussi décisive, notre bonheur est nourri par la qualité de l'attention que nous portons à ce que nous faisons. Les sages stoïciens et épicuriens de l'Antiquité avaient souligné ce point capital et affirmaient que l'instant nous faisait toucher à l'éternité. La félicité ne se goûte que dans l'instant présent. Les études scientifiques les plus récentes confirment ce fait depuis longtemps mis en avant par de nombreux philosophes et psychologues. Grâce à l'imagerie cérébrale, les chercheurs en neurosciences ont pu établir que les zones du cerveau activées lorsque nous nous concentrons sur une seule expérience sont différentes de celles activées lorsque notre esprit vagabonde ou rumine diverses pensées[67]. L'observation clinique a également révélé que les sujets souffrant de troubles nerveux ou dépressifs fonctionnaient le plus souvent sur le mode de la « rumination », à l'inverse des personnes affichant un notable bien-être subjectif, qui passent davantage d'une activité à une autre en étant attentives à ce qu'elles font. On a ainsi pu établir un lien entre attention/concentration et bien-être, et entre rumination/vagabondage et mal-être, tout en identifiant l'ancrage cérébral de ces états d'âme.

Diverses thérapies ont été proposées, avec des résultats très probants, aux patients atteints de troubles dépressifs en leur apprenant à vivre dans l'attention au moment présent. Parmi ces thérapies, on trouve notamment la pratique de la méditation dite de « pleine conscience », élaborée par le psychiatre américain Jon Kabat Zinn, il y a une vingtaine d'années, en s'inspirant des fondements de la méditation bouddhiste, et dont le psychiatre Christophe André est en France l'un des principaux promoteurs[68]. L'expérience de la méditation silencieuse permet de fixer l'attention sans la crisper, d'apaiser le mental, de calmer la ronde incessante des pensées, de se ressourcer intérieurement. Compte tenu de l'interaction entre corps et esprit, cet apaisement rejaillit à la fois sur l'organisme et sur les émotions. Des études spécifiques ont d'ailleurs été menées sur des méditants entraînés, tel le Français Matthieu Ricard qui médite plusieurs heures par jour depuis bientôt quarante ans ; elles ont révélé que ces pratiquants sont le siège d'une réaction cérébrale spécifique : leurs ondes gamma sont beaucoup plus intenses que celles des autres sujets, on observe chez eux une « meilleure synchronisation de l'ensemble de l'activité électrique du cerveau » ainsi qu'une « augmentation de la neuro-plasticité, c'est-à-dire de la propension des neurones à établir davantage de connexions[69] ».

Si la pratique régulière de la méditation peut aider à vivre en « pleine conscience », chaque expérience du quotidien peut aussi, bien entendu, être source de bien-être et produire des effets similaires. Il suffit pour cela d'être attentif à ce que l'on fait dans le moment présent : nos sensations lorsque nous préparons un repas, lorsque nous mangeons, lorsque nous marchons, lorsque nous travaillons, lorsque nous écoutons de la musique, etc., plutôt que d'accomplir ces tâches ou ces occupations en pensant à autre chose ou en laissant notre esprit errer d'un souci à l'autre. Chaque moment du quotidien peut dès lors devenir source de bonheur, non seulement par le plaisir que nous prenons à ces diverses activités, mais aussi parce que l'attention stimule notre cerveau de telle manière qu'il produit à son tour des ondes ou des substances qui accentuent notre impression de bien-être.

Nous constatons que, bien souvent, nous ne vivons pas dans le présent, mais laissons nos pensées voguer vers le passé ou le futur. Nous accomplissons plusieurs tâches en même temps. Nous ressassons divers soucis pendant que nous travaillons. Suractive, la vie moderne ne fait qu'accentuer ces tendances, d'où l'accroissement exponentiel du stress, de la fatigue chronique, de la dépression et de l'angoisse dans nos sociétés. Alors qu'une meilleure attention à ce que l'on fait, à ses sensations, à ses perceptions, au déroulé de son action, peut changer une vie.

Je ne peux cependant éviter d'apporter deux correctifs importants à ce qui vient d'être dit. Tous les ouvrages de sagesse ou de développement personnel insistent certes sur ce point capital[70], mais ils ne mentionnent pas un aspect complémentaire qui me semble tout aussi essentiel. Si nos modes de vie actuels favorisent la dispersion mentale, l'échappée des pensées hors du moment présent, et sont par là source de stress et de mal-être, il ne s'agirait pas non plus de tomber dans l'excès inverse en voulant bannir toute rêverie, tout vagabondage de l'esprit. Pour être équilibré, notre esprit doit certes être concentré, attentif, mais il a aussi besoin de flânerie sans but précis, au gré des humeurs, des inspirations, des associations d'idées. C'est ce que nous vivons la nuit dans le rêve, qui vient compenser notre activité diurne, contrôlée et consciente. Or il n'est pas mauvais non plus de s'accorder, à certains moments de la journée, après qu'on a été particulièrement concentré sur son travail ou ses activités quotidiennes, des moments de relâchement de l'attention où notre esprit peut flotter, folâtrer, se laisser porter par le flux des pensées qui vont et viennent. Pareille « déconcentration » est différente de la « rumination » qui consiste le plus souvent à se concentrer sur un remords du passé, une angoisse de l'avenir et accroît nos émotions négatives. Montaigne nous dit que c'est là une des principales raisons du plaisir qu'il a à monter à cheval : l'équitation rend disponible à la rêverie.

Je suis frappé de voir que nombre d'enfants souffrent de difficultés d'attention, sont hyperactifs et nerveux. Or, le plus souvent, ces enfants sont sollicités sans relâche par des stimulations extérieures : effort de concentration à l'école, omniprésence chez eux de la télé, de l'ordinateur, des jeux vidéo interactifs. Il n'y a plus de place ni de temps libre dans leur vie pour construire leur intériorité. Or celle-ci s'édifie autant par la pensée et l'éducation que par la rêverie et le jeu grâce à quoi l'enfant donne libre cours à son imagination. « Trop de sollicitations du monde extérieur inhibent l'élan créateur de l'enfant, l'empêchent de se dire, de s'exprimer et d'innover, explique la psychologue clinicienne Sevim Riedinger. Le jeu reste pour lui, malgré le monde de l'ordinateur, un support incontournable pour la construction de son être. C'est là qu'il peut savourer en toute liberté, et hors des contraintes, un espace intérieur bien à lui. Cela lui permet de faire, de défaire et de refaire sa réalité, d'absorber ses peines. Chercher des solutions plus loin et plus haut lorsque la situation est dans l'impasse. S'en distancier pour retrouver la pulsion vitale[71]. » Adultes, nous sommes si sollicités par l'extérieur et les nombreuses tâches à accomplir que nous fonctionnons le plus souvent, nous aussi, en mode « pensée » ou « concentration ». Nous finissons pareillement par étouffer et nous assécher.

Notre esprit a donc tout autant besoin de se concentrer, d'être attentif, que de se détendre et se régénérer par le silence intérieur – fruit, par exemple, de la méditation –, mais aussi par la rêverie, le vagabondage de l'imagination. L'inactivité et le silence, l'écoute de la musique, la lecture de poésie, la contemplation de la nature ou d'œuvres artistiques sont autant d'atouts précieux pour fortifier notre vie intérieure. Bien souvent, comme il en va pour les enfants avec le jeu, c'est en relâchant le mental que surgissent à l'improviste les solutions à nos problèmes, les idées les plus lumineuses, les intuitions qui nous permettront d'avancer à nouveau là où nous restions bloqués. Certaines thérapies consistent précisément à mettre le sujet en un état modifié de conscience qui permet au cerveau de fonctionner selon un mode autre que le monde rationnel habituel, favorisant le surgissement de certaines émotions refoulées. Dans l'univers traditionnel, c'est typiquement l'expérience de la transe chamanique, expérience que les Grecs et les Romains vivaient à travers les cultes initiatiques à mystères. L'Occident moderne s'est inspiré de ces méthodes, qui ont encore cours dans de nombreuses cultures traditionnelles, pour mettre au point des thérapies fondées sur ces états modifiés de conscience et sur la confusion du mental : l'hypnose ou le *rebirth* en sont de bons exemples. C'est parce que le sujet est déstabilisé, que son cerveau ne fonctionne plus selon le mode de contrôle habituel, qu'il peut évoluer, faire bouger ses lignes intérieures, passer à un autre « état d'être ».

Second correctif important que je tenais à apporter : si notre bonheur tient pour beaucoup à notre capacité à vivre dans l'instant présent, il dépend aussi de notre aptitude à nous remémorer des moments heureux de notre vie. Le vagabondage de l'esprit dans le passé rend malheureux lorsqu'il va y puiser des souvenirs négatifs, des remords ou des regrets, mais il procure un rare bonheur lorsqu'il va y exhumer des moments heureux. Le bonheur se nourrit de la conscience d'être heureux, et si cette conscience s'active toujours dans le présent, elle met aussi en branle l'imaginaire pour s'emparer et « traiter » de souvenirs du passé. Dans sa *Recherche*, Proust s'est fait ainsi le chantre du bonheur que nous procure, dans le présent, tel ou tel souvenir exhumé. Mais dans l'Antiquité déjà, des philosophes avaient souligné ce point. Lorsqu'il évoque dans le *Philèbe* les plaisirs de l'âme, Platon insiste sur le rôle de la mémoire et évoque notamment le bonheur que dispensent le souvenir de plaisirs corporels, et, par rebond, l'anticipation de ceux à venir. C'est parce que j'ai gardé en mémoire l'intense plaisir que j'ai éprouvé à boire un bon vin que je suis heureux non seulement de me le remémorer, mais aussi d'envisager d'y goûter à nouveau. Épicure insiste lui aussi sur le rôle essentiel de la mémoire comme adjuvant du bonheur, notamment lorsque le corps souffre du fait d'une maladie ou d'une maltraitance : ce qui permet alors de retrouver l'« ataraxie », la paix profonde de l'être, c'est le souvenir de moments heureux. Mais il ne s'agit pas que d'un voyage de l'esprit dans le passé : comme chez Proust, la mémoire permet de *revivre une sensation* agréable ; c'est toujours *dans le présent* que le bonheur s'éprouve grâce à cette réminiscence.

J'ajouterai encore que si la mémoire contribue à notre bonheur – mais aussi, éventuellement, à notre malheur –, c'est parce qu'elle nous conduit à situer notre vie dans une certaine durée. Or si nous prenons un intense plaisir à vivre l'instant, nous gardons aussi en mémoire, sans même l'activer explicitement, toutes les expériences passées, tous les liens affectifs reliant cet instant à tant d'autres, ainsi qu'à nos semblables. C'est là ce qui fonde notre identité, et c'est tout le drame de la maladie d'Alzheimer. Voilà quelques années, j'ai complètement perdu la mémoire pendant une dizaine d'heures (ichtus amnésique) ; je me suis alors rendu compte que cette « absence » hélas justement nommée entraîne une forme de dépersonnalisation : ne reconnaissant plus personne, n'ayant plus aucun souvenir de notre histoire, nous sommes comme coupés de nous-mêmes ; aucun plaisir de l'instant ne pourra dès lors suppléer le caractère décisif de la conscience d'un « soi » inséré dans une durée.

12

Nous sommes
ce que nous pensons

*Qu'est-ce que je serais heureux si
j'étais heureux !*

WOODY ALLEN

Un vieux débat philosophique relancé par la psychologie moderne porte sur le lien entre nos affects (émotions, sentiments) et nos pensées et croyances. Ceux-là précèdent-ils et conditionnent-ils celles-ci ? Ou bien, à l'inverse, nos émotions et nos sentiments sont-ils le fruit de nos pensées et de nos croyances ? Soit un exemple concret : un individu triste qui doute de ses capacités est-il devenu triste parce qu'il est habité par l'idée ou la croyance qu'il est un incapable, ou bien a-t-il développé cette pensée parce qu'il a vécu, enfant, une émotion traumatisante qui, l'ayant rendu triste, a développé en lui un complexe d'infériorité ?

Les Anciens ont eu plutôt tendance à postuler l'antériorité et le primat de la pensée sur l'émotion. « Nous sommes ce que nous pensons », affirme le Bouddha. Depuis Spinoza, puis Freud, les modernes valorisent au contraire les affects qui, selon eux, détermineraient le contenu de nos pensées. Mais, avec le développement de la psychologie positive à la fin du XXᵉ siècle, les contemporains soulignent à leur tour le rôle déterminant des pensées et des croyances dans la vie émotionnelle.

Je crois qu'il s'agit là d'un faux problème. La réalité, me semble-t-il, est qu'il existe une interaction permanente des affects et des pensées, lesquels se conditionnent mutuellement. Parfois l'émotion précède la pensée : comme je me suis fait mordre un jour, j'ai peur des chiens et pense qu'ils sont dangereux. Parfois la pensée précède l'émotion : ma mère m'a dit que les chiens sont dangereux et je suis tétanisé par la peur quand j'en vois un qui se dirige vers moi. Ce qui importe, c'est que dans les deux cas, on peut agir sur ses émotions pour faire évoluer pensées et croyances, tout comme on peut agir sur ses pensées et ses croyances pour mieux réguler sa vie émotionnelle.

La plupart des nouvelles thérapies comportementalistes, qui obtiennent dans l'ensemble de bons résultats, associent travail sur les émotions et travail sur la pensée par une reprogrammation positive. Corps et esprit, émotions et pensées sont mobilisés pour permettre de guérir d'un traumatisme, d'une phobie, d'une blessure du passé. Mais le travail sur les pensées et les émotions n'est pas que curatif, il peut être aussi préventif. Il s'agit alors de faire montre de vigilance lorsque telle pensée ou telle émotion apparaîtra, afin d'éviter d'en être perturbé. L'attention à la vie intérieure, nourrie par l'introspection, permet de sentir de plus en plus vite ce qui se joue en nous, et de réagir avant que la pensée ou l'émotion ne vienne s'enraciner et nous perturber. C'est aussi un des apports majeurs de la méditation : par cet exercice quotidien de mise à distance de nos pensées et de nos émotions, nous apprenons à ne plus nous identifier aux émotions qui surgissent inopinément, ou à nous laisser envahir par la moindre pensée. Nous apprenons à ne plus dire : « Je suis en colère », ou « Je suis triste », mais à constater : « Tiens, une colère, ou une tristesse, arrive. » Cette distanciation permet une meilleure maîtrise de la vie émotionnelle et une sélection vigilante des pensées qui viennent à l'esprit.

Nous pouvons franchir un pas de plus et travailler activement sur nos pensées et nos croyances. Nous y serons d'autant plus enclins que nous aurons compris que le monde extérieur n'est que le miroir de notre propre monde intérieur. Quand il regarde un paysage, l'homme d'affaires voit un site à exploiter, le poète une « forêt de symboles », l'amoureux songe à celui ou celle qu'il aime et rêve de s'y promener en sa compagnie, le mélancolique se remémore avec nostalgie des événements lointains dans un cadre naturel semblable à celui-ci, l'esprit joyeux se réjouira des couleurs et de l'harmonie du paysage, quand le déprimé n'y verra qu'un morne spectacle. Nos pensées et nos croyances, comme nos états d'âme, déterminent notre rapport au monde. Un homme confiant verra une belle opportunité dans une situation donnée quand l'homme timoré se focalisera sur le risque couru. Un individu qui se respecte ne doutera pas de l'estime que les autres lui portent, quand un individu qui a perdu l'estime de soi sera sensible au moindre signe critique qui ne fera que conforter sa négativité.

C'est ce que les Anciens avaient là encore parfaitement compris. À la suite du Bouddha, le sage stoïcien Épictète affirmait : « Nul ne peut te faire de mal si tu ne le veux pas. Car tu subiras un dommage quand tu jugeras que tu subis un dommage[72]. » Je reviendrai plus longuement sur les sagesses bouddhiste et stoïcienne. Ce qui m'importe ici est de montrer combien le travail sur nos pensées et nos croyances est un élément essentiel dans la construction d'une vie heureuse. Schopenhauer l'avait bien saisi et insistait notamment sur la nécessité de développer des pensées positives tout en éliminant nos vieilles croyances négatives. Dans son traité sur *L'Art d'être heureux*, il conseille de « considérer ce que nous possédons avec le regard précisément que nous aurions si cela nous était arraché[73] » (biens matériels, santé, position sociale, amours), car ce n'est souvent qu'après la perte que nous réalisons la chance que nous avions. De passer de la pensée : « Et si j'avais cela ? » à la pensée : « Et si je perdais cela ? » De regarder ceux qui vont plus mal que nous plutôt que ceux qui vont mieux, car comme les études sociologiques contemporaines le confirment, la comparaison est une des clefs du bonheur et du malheur[74]. Schopenhauer recommande également d'éviter autant que faire se peut de multiplier les espoirs et les craintes[75]. De son côté, le philosophe contemporain André Comte-Sponville a bâti toute sa philosophie du bonheur sur le thème

d'une sagesse du désespoir : « Le sage n'a plus rien
à attendre ni à espérer. Parce qu'il est pleinement
heureux, rien ne lui manque. Et parce que rien ne
lui manque, il est pleinement heureux[76]. »

Martin Seligman, professeur à l'université de
Pennsylvanie, dirige le centre de psychologie positive
à Philadelphie. Depuis quarante ans, il est l'un des
pionniers de la psychologie positive, discipline qui
s'intéresse au fonctionnement humain optimal et vise
à valoriser les facteurs permettant l'épanouissement
des individus. Plutôt que de se focaliser sur la maladie
ou le mal-être, elle met l'accent sur l'origine d'une
bonne santé psychologique. Dans ce cadre, Seligman
a procédé à de nombreuses études destinées à comprendre ce qui favorise la santé ou la maladie, le
bonheur ou le malheur. Ces études, étalées sur plusieurs décennies, portant sur des milliers d'individus,
l'ont conduit à remettre d'actualité la vieille distinction entre individus « optimistes », qui voient plutôt
le côté positif des choses et envisagent l'avenir avec
confiance, et les « pessimistes », enclins à voir le côté
négatif des choses et sont inquiets devant l'avenir.
Or ces études, complétées par celles de nombreux
autres chercheurs, ont montré que les « optimistes »
réussissent globalement mieux que les « pessimistes »
en tous domaines et sont ainsi beaucoup plus aptes
au bonheur. Parce qu'ils ont confiance dans la vie
et envisagent le futur avec sérénité, ils « attirent » en
quelque sorte à eux davantage d'événements ou de
rencontres positifs que les pessimistes. Ils bénéficient
aussi d'une meilleure santé, sont huit fois moins sujets

à la dépression, et jouissent d'une meilleure espérance de vie[77]. Dans n'importe quelle situation difficile, alors que l'optimiste envisage une solution au problème, le pessimiste reste convaincu qu'il n'y en a pas ou que la situation critique va perdurer. Au fond, le pessimiste ne croit pas que le bonheur soit possible. Il pourrait adopter pour maxime la célèbre formule de Woody Allen : « Qu'est-ce que je serais heureux si j'étais heureux ! »

D'où vient alors que certains individus soient davantage optimistes et d'autres plus enclins au pessimisme ? Seligman avance plusieurs facteurs, le principal étant la sensibilité de l'individu transmise par héritage génétique. Mais l'influence des parents et des enseignants n'est pas non plus à négliger, tout comme celle de l'environnement global et de la religion. Ainsi, certains peuples semblent plus optimistes que d'autres : c'est le cas des Américains, alors que les Français sont réputés figurer parmi les plus pessimistes au monde. L'influence des médias est aussi déterminante : ils peuvent entretenir une atmosphère anxiogène en faisant sans cesse leurs gros titres sur tout ce qui va mal. S'il est sans doute difficile à un individu typiquement « pessimiste » de devenir du jour au lendemain « optimiste », il est cependant loisible à chacun de nous d'atténuer le caractère négatif de ses croyances et de ses pensées tout en abordant la vie avec davantage de confiance. Il n'en sera peut-être que plus heureux, ou, à défaut, il se sentira moins malheureux.

13

Le temps d'une vie

> *Ah, la joie de ce travail dont nul ne
> vient à bout : vivre* [78] *!*

CHRISTIAN BOBIN

« Êtes-vous heureux ? » Formulée de manière aussi abrupte, cette question me laisse toujours mal à l'aise. Si elle entend interroger mon état actuel, elle ne présente aucun intérêt véritable : je puis être mal à l'aise sur le plateau de télévision où l'on me décoche cette question et avoir envie d'y répondre « non » par référence à ce mal-être ponctuel alors que je suis globalement heureux dans ma vie... et inversement. Si elle entend interroger mon état global sur la durée, elle a le défaut d'être trop binaire : comme si on était totalement heureux ou, à l'inverse, intégralement malheureux. En fait, nous sommes presque tous « plus ou moins heureux », et notre impression de bonheur fluctue avec le temps. Je peux me dire aujourd'hui globalement heureux, c'est-à-dire satisfait de la vie que je mène, et certainement beaucoup plus qu'il y a dix ou vingt ans ;

mais je le serai peut-être moins ou davantage dans dix ans. L'objectif à poursuivre est d'être de plus en plus profondément et durablement heureux, autant que la vie nous le permet.

Les chercheurs qui ont analysé les différents paramètres du bien-être subjectif font remarquer qu'il existe chez chaque individu une sorte de « point fixe » du bonheur lié à sa personnalité. Chaque individu possède de manière naturelle une certaine aptitude à être heureux. Il se trouvera en dessous de son point fixe lorsqu'il sera confronté à une situation pénible (maladie, échec professionnel ou affectif), mais au-dessus lorsqu'il vivra une expérience positive (mariage, promotion). Cependant il reviendra ensuite presque toujours à son point fixe. Certaines études ont même montré que la majorité des personnes qui gagnent au Loto connaissent un pic de bonheur, l'espace de quelques mois, avant de retomber peu à peu à leur niveau antérieur de bien-être. Inversement, bon nombre de personnes qui deviennent handicapées à la suite d'un grave accident sont extrêmement malheureuses pendant un certain laps de temps, allant souvent jusqu'à souhaiter mourir ; puis leur goût de vivre et leur mieux-être reprennent progressivement le dessus et, au bout de deux ans en moyenne, elles retrouvent généralement leur « point fixe », cette constante de bonheur qu'elles éprouvaient avant leur accident[79].

Tout l'intérêt du travail sur soi, de la quête de sagesse, consiste précisément à pouvoir élever notre « point fixe » de satisfaction afin que le bonheur soit pour nous de plus en plus intense, profond et durable. J'ai pu moi-même expérimenter qu'il était possible de franchir des paliers dans notre capacité d'être heureux. Autant de « manches » qui constituent les nouveaux « points fixes » de notre aptitude au bonheur.

À cette possible évolution subjective, liée au travail intérieur de chacun, se superpose une progression de l'indice de satisfaction, tout au long de la vie, assez semblable chez une majorité d'individus. Les études statistiques montrent en effet que la plupart des gens partagent un indice de satisfaction qui varie selon l'âge de manière assez similaire. Ainsi, en France, à partir des enquêtes d'opinion qui posent chaque année (depuis 1975) la question de la satisfaction de vie, des chercheurs de l'Insee ont démontré qu'il y avait bel et bien un effet d'âge quelles que soient les générations sondées. *Grosso modo*, l'indice de satisfaction global de la vie ne cesse de baisser de l'âge de vingt ans jusqu'aux alentours de la cinquantaine, à partir de quoi il connaît une hausse sensible jusque vers les soixante-dix ans, avant de connaître une nouvelle phase de déclin[80]. Les chercheurs ne donnent pas vraiment d'explication à ce phénomène. Il me semble qu'on peut avancer l'hypothèse que la baisse de la satisfaction globale jusque vers la cinquantaine correspond à la perte des illusions et à la confrontation avec les difficultés de la vie adulte, ainsi qu'aux grandes remises en question du milieu de vie que l'on observe chez la plupart des individus entre trente-cinq et cinquante ans. La forte remontée qui suit, de la cinquantaine jusque vers soixante-dix ans, pourrait s'expliquer par l'épanouissement de la maturité : on est de plus en plus satisfait dans sa vie professionnelle et on a acquis, avec l'expérience, une connaissance de soi et des autres qui permet de vivre mieux. On a parfois refondé son existence sur de nouvelles valeurs ou de nouveaux désirs. D'aucuns ont même « refait » leur vie. La progressive décroissance de l'indice de satisfaction à partir de soixante-dix ans pourrait en revanche s'expliquer par les affres du vieillissement – soucis de santé croissants, perte de capacités physiques ou intellectuelles, perspective rapprochée de la mort –, mais aussi par le décès d'amis et parfois du conjoint.

De fait – et nous ne l'avons pas encore suffisamment évoqué –, notre bonheur dépend pour beaucoup de notre relation aux autres.

14

Peut-on être heureux sans les autres ?

> *Personne ne choisirait de vivre sans amis, eût-il tous les autres biens* [81].
>
> ARISTOTE

Le bonheur peut-il être le fruit d'une vie gouvernée totalement par l'égoïsme ? Sans nécessairement faire du mal aux autres, on peut se désintéresser d'eux et se concentrer exclusivement sur l'accroissement de son bien-être personnel. Les études sociologiques contemporaines montrent cependant que l'amour, l'amitié, le lien affectif constituent un des principaux piliers du bonheur (avec la santé et le travail). Aristote et Épicure l'avaient déjà souligné : pas de vrai bonheur possible sans amitié. Aristote ne distingue d'ailleurs pas l'amour conjugal de l'amitié : pour lui, il s'agit du même sentiment, impliquant identité et réciprocité, qui unit les époux comme les amis, et fait leur bonheur. Identité, parce que nous reconnaissons d'abord dans l'ami « un autre soi-même[82] » avec qui nous partageons les mêmes aspirations, les mêmes goûts et centres d'intérêt, les mêmes valeurs et éventuellement les mêmes projets de vie. Nous sommes heureux d'avoir trouvé un être avec qui nous nous sentons en communion sur l'essentiel. Diogène Laërce rapporte que lorsqu'on demandait à Aristote ce qu'était un ami, il avait coutume de répondre : « Une seule âme résidant en deux corps[83]. » Montaigne ne dira pas autre chose pour qualifier son amitié avec Étienne de La Boétie : « Et à notre première rencontre [...] nous nous trouvâmes si pris, si connus, si obligés entre nous, que rien dès lors ne nous fut si proche, que l'un à l'autre[84]. » Réciprocité, car l'amour, pour nous épanouir, a besoin d'être partagé : on ne peut être que malheureux d'aimer quelqu'un qui ne nous aime pas. J'ajouterai à ces deux dimensions une troisième, plus implicite chez Aristote : l'altérité, parce que ce qui nous touche chez l'autre, c'est aussi sa différence radicale, irréductible, ce qui est unique en lui, son visage propre. Nous nous réjouissons de la singularité, mais aussi de la liberté de notre ami, et souhaitons qu'elles se fortifient toujours plus.

L'amour d'amitié (*philia*) dont parle Aristote implique la présence d'un être cher avec qui nous aimons faire « œuvre commune » : du partage d'une passion artistique, sportive, ludique, intellectuelle, à la fondation d'un foyer. Le philosophe précise par ailleurs qu'« un petit nombre d'amis doit suffire, comme dans la nourriture il faut peu d'assaisonnement[85] ».

Nul ne peut être heureux sans amour, c'est-à-dire sans vivre une expérience de communion affective. Cela ne signifie pas pour autant que toute forme d'amour rende heureux. La passion amoureuse, parce qu'elle est fondée sur le désir physique et, le plus souvent, sur une représentation idéalisée de l'autre, peut aussi rendre très malheureux. Il y a en effet quelque chose de pathologique dans la passion amoureuse : idéalisation du partenaire, jeux de séduction, jalousie, alternance de tristesse et d'euphorie, espoirs et désillusions… Bien des relations amoureuses commencent par un prologue de type passionnel, avant d'évoluer vers une connaissance approfondie de l'autre, une amitié doublée de complicité, en sorte que l'amour soit durable et heureux.

Assurément, il y a dans toute relation affective une dimension duale d'amour égocentrique et d'amour altruiste : on est à la fois soucieux de soi à travers l'amour que l'on donne et que l'on reçoit, et on est aussi préoccupé de l'autre, de son plaisir, de son bonheur, de sa réalisation personnelle. Ces deux aspects sont mêlés de manière très diverse. L'amour est d'autant plus fort et rayonnant que les amis/conjoints s'aiment dans la réciprocité d'un amour fortement altruiste. Mais il ne faudrait pas être malheureux à vouloir donner aux autres plus qu'on ne peut le faire. Montaigne condamnait l'esprit de sacrifice de nombreux chrétiens et rappelait la nécessité de ne pas dépasser les forces de sa nature en voulant aimer ou aider les autres : « Qui abandonne en son propre le sainement et gaiement vivre pour en servir autrui prend à mon gré un mauvais et dénaturé parti[86]. »

La plupart des penseurs modernes estiment que l'homme est viscéralement égoïste et n'agit, même apparemment de manière désintéressée, que dans son propre intérêt. C'est la thèse de Thomas Hobbes ou d'Adam Smith, reprise par Freud. Cette conception pessimiste de la nature humaine est peut-être héritée du dogme chrétien du péché originel selon lequel la nature humaine, foncièrement corrompue, ne peut être restaurée que par la grâce divine. Enlevons Dieu et ne subsiste plus que le pessimisme ! Cette thèse repose cependant sur une vérité déjà évoquée plus haut : il existe un noyau d'égoïsme qui nous incline à agir selon notre nature dans la poursuite de nos aspirations et la réalisation de nos actions : le généreux a plaisir à donner comme l'avare a plaisir à garder. Mais il existe une autre loi du cœur humain, tout aussi universelle, semble-t-il, ignorée de ces penseurs pessimistes : en œuvrant au bonheur des autres, on fait aussi le sien.

De nombreuses études scientifiques ont en effet montré qu'il existe un lien entre bonheur et altruisme : les gens les plus heureux sont les plus ouverts aux autres et se sentent tout autant – voire davantage – concernés par le sort des autres que par le leur[87]. Il n'y a pas opposition entre amour de soi et amour des autres, entre être heureux et rendre les autres heureux. Bien au contraire, le fait de s'intéresser à autrui réduit l'égocentrisme qui est une des causes principales du malheur.

Même si le mot « altruisme » a été inventé au XIXᵉ siècle par Auguste Comte, ce qu'il recouvre – l'amour/don – et sa relation directe au bonheur ont été mis en lumière par la plupart des sages, mystiques et philosophes. Platon souligne déjà dans le *Gorgias* que « l'homme le plus heureux est celui qui n'a dans l'âme aucune trace de méchanceté ». L'apôtre Paul rapporte cette parole de Jésus, curieusement absente des Évangiles alors qu'elle en exprime la quintessence : « Il y a plus de joie à donner qu'à recevoir[88]. » Le philosophe des Lumières Jean-Jacques Rousseau affirme : « Je sais et je sens que faire du bien est le plus vrai bonheur que le cœur humain puisse goûter[89]. » De nos jours, Matthieu Ricard, se faisant l'écho de la tradition plus que bimillénaire du bouddhisme, conclut son dernier ouvrage, *Plaidoyer pour l'altruisme,* par ces mots : « Le vrai bonheur est indissociable de l'altruisme, car il participe d'une bonté essentielle qui s'accompagne du souhait profond que chacun puisse s'épanouir dans l'existence. C'est un amour toujours disponible et qui procède de la simplicité, de la sérénité et de la force immuable d'un cœur bon[90]. »

Contre la doctrine du péché originel, je partage pleinement l'avis de Matthieu Ricard et du bouddhisme, que le fond de la nature humaine est bon, et notre cœur fait pour s'épanouir dans l'amour et le don. Lorsque nous commettons des actes négatifs inspirés par la haine, la colère, la peur, nous avons d'ailleurs souvent l'impression d'être comme extérieurs à nous-mêmes : d'un homme emporté, ne dit-on pas qu'il est « hors de lui », « sorti de ses gonds » ?

À l'inverse, lorsque nous accomplissons des actions positives motivées par la bonté, l'altruisme, l'empathie, nous nous sentons pleinement nous-mêmes. C'est parce que notre nature est foncièrement portée à l'altruisme. Ce sont des réactions aux vicissitudes de la vie qui nous font développer des peurs, des colères, voire de la haine. Pour en sortir, un travail sur soi, ses pensées et ses émotions est souvent précieux. Mais rien ne remplace l'expérience d'être aimé. L'amour/don guérit bien des blessures de la vie : non seulement lorsque nous sommes aimés, mais aussi lorsque nous découvrons les trésors de bonté enfouis dans notre propre cœur. Nous pouvons alors entrer dans l'extraordinaire cercle vertueux de la vie : plus on aide les autres, plus on est heureux ; plus on est heureux, plus on a envie d'aider les autres.

15

La contagion du bonheur

> *Tout homme et toute femme devrait*
> *penser continuellement à ceci : que*
> *le bonheur, j'entends celui que l'on*
> *conquiert pour soi, est l'offrande la plus*
> *belle et la plus généreuse*[91].

ALAIN

Au printemps 2013, je participais à une table ronde lors des rencontres de Fès, au Maroc, organisés par Faouzi Skali. Le thème en était le bonheur. Après mon exposé, André Azoulay, conseiller du roi, prit la parole. Cet homme juste est juif et engagé avec force, depuis toujours, dans le dialogue israélo-palestinien. Il fit part de son scepticisme quant à la poursuite du bonheur individuel dans un monde marqué par tant de souffrances et de drames. Sans la formuler ainsi, il posait une question qui m'a longtemps habité : Peut-on être heureux dans un monde malheureux ? Je réponds sans hésiter : oui, cent fois oui. Parce que le bonheur est contagieux. Plus nous sommes heureux, plus nous rendons heureux celles et ceux qui nous entourent. À quoi servirait-il de renoncer à tout bonheur personnel par empathie ou par compassion pour ceux qui souffrent, si cela ne peut les aider en rien ? Ce qui compte, ce n'est pas de refuser d'être heureux, c'est d'agir et de s'engager pour rendre le monde meilleur, et de ne pas édifier son propre bonheur au détriment de celui des autres. Et ce qui est scandaleux, en effet, c'est par exemple de construire un empire financier et de ne rien partager ou presque de sa fortune. C'est de fonder sa réussite sur le malheur des autres. C'est, dans une moindre mesure, de ne se préoccuper en rien du bien commun. Mais si nous mettons notre succès ou notre prospérité au service d'autrui, si notre bonheur nous permet aussi d'apporter du bonheur aux autres, on peut alors considérer que c'est un devoir moral d'être heureux. André Gide, dans *Les Nourritures terrestres*, l'exprime fort bien : « Il y a sur terre de telles immensités de misère, de détresse, de gêne et d'horreur, que l'homme heureux n'y peut songer sans prendre honte de son bonheur. Et pourtant, ne peut rien pour le bonheur d'autrui celui qui ne sait être heureux lui-même. Je sens en moi l'impérieuse obligation d'être heureux. Mais tout bonheur me paraît haïssable, qui ne s'obtient qu'aux dépens d'autrui et par des possessions dont on le prive[92]. »

Des études scientifiques confirment bel et bien que le bonheur est contagieux. « Le bonheur, c'est comme une onde de choc », affirme Nicholas Christakis, professeur de sociologie à l'université de Harvard et auteur d'une étude menée vingt ans durant sur près de cinq mille individus. « Le bonheur des gens dépend du bonheur des autres auxquels ils sont connectés. Ce qui nous permet de considérer le bonheur comme un phénomène collectif », confirme l'étude qui précise même – ce qui fait un peu sourire – que « chaque ami heureux augmente de 9 % notre probabilité d'être heureux, tandis que chaque ami malheureux fait chuter notre capital de bonheur de 7 %[93] ». Car si notre bonheur concourt à celui des autres, la réciproque est tout aussi vraie : à l'inverse, le malheur est lui aussi contagieux.

Cette contagion du bonheur, nous pouvons tous l'expérimenter à travers le cinéma ou le prisme des médias. Lorsque, par exemple, nous voyons à la télévision un sportif exhiber sa joie après avoir remporté un grand trophée, nous sommes émus à notre tour, même si nous ne sommes pas particulièrement concernés. Je n'oublierai jamais la liesse qui s'est emparée de la France entière après la finale de la Coupe du monde de football en 1998 : on embrassait des inconnus dans la rue et toutes les barrières sociales s'effondrèrent, l'espace de quelques heures, emportées par ce grand vent de liesse partagée. Nous sommes aussi émus, parfois aux larmes, lorsque nous voyons à la télévision le bonheur absolu d'un père ou d'une mère retrouvant un enfant disparu, les proches d'un otage libéré qui l'étreignent après des années de séparation, un enfant gravement malade subitement guéri, etc.

Pourtant, certains se sentent agacés par le bonheur d'autrui, surtout parmi les individus qui se placent en situation de rivalité. Il arrive alors qu'ils se réjouissent de l'épreuve ou de l'échec qui affecte quelqu'un en qui ils voient un concurrent sur le plan professionnel ou un rival sur le plan affectif. Pour les biologistes, cette attitude, plus fréquente qu'on ne croit, a constitué un avantage adaptatif au cours de l'évolution : l'élimination d'un rival facilitait la propre survie d'un individu ou lui permettait d'obtenir une meilleure place au sein du groupe. Le bouddhisme explique que cet esprit de rivalité est un poison qui rend le bonheur dépendant des autres dans une spirale négative : heureux quand ils échouent, malheureux quand ils réussissent. Il montre que l'une des clefs de la sérénité consiste à ne plus se comparer, à se départir de l'esprit de rivalité, à chercher à surmonter toute jalousie. Le meilleur antidote pour y parvenir est d'apprendre à se réjouir du bonheur d'autrui.

16

Bonheur individuel
et bonheur collectif

> *Quand chaque homme cherche le*
> *plus ce qui lui est utile à lui-même,*
> *alors les hommes sont le plus utiles les*
> *uns aux autres*[94].

BARUCH SPINOZA

« Nous préférons être heureux plutôt que sublimes ou sauvés[95] », écrit Pascal Bruckner dans son essai critique sur la poursuite moderne du bonheur. D'après lui, celle-ci débute au siècle des Lumières avec la modernité occidentale qui à la quête religieuse du paradis céleste substitue celle du bonheur terrestre. « Le paradis terrestre est où je suis », affirme en effet Voltaire dans son poème *Le Mondain*, en 1736.

S'il est vrai que l'agnosticisme occidental a remplacé la quête de la béatitude céleste par celle du bonheur terrestre, il n'est pas juste de dire que le bonheur est « une valeur occidentale et historiquement datée[96] » qui se serait développée avec l'époque moderne. La poursuite du bonheur ici-bas est une quête universelle bien antérieure à celle-ci. Elle est même antérieure de beaucoup à la naissance de la théologie chrétienne qui a placé le bonheur suprême dans l'au-delà. On en trouve déjà l'expression dans un récit datant du IIIe millénaire avant notre ère : l'*Épopée de Gilgamesh*, l'un des plus anciens textes de l'humanité, lequel dénonce la démesure propre à la quête d'immortalité et valorise la recherche ici-bas d'un bonheur à notre mesure. De même, l'Égypte ancienne poursuivait tout autant le bonheur ici-bas que dans l'au-delà et le concept de bonheur terrestre est fortement attesté dans la Bible hébraïque. Nous l'avons vu tout au long de ce livre, la quête d'un bonheur individuel et terrestre est pareillement présente chez les philosophes de l'Antiquité : Aristote, Épicure, les stoïciens notamment. Elle existe aussi dans les grandes civilisations asiatiques, tant en Inde qu'en Chine, et c'est l'essence même de la doctrine bouddhiste. Bref, si Pascal Bruckner a raison de mettre l'accent sur la rupture de l'époque moderne, il semble oublier que l'avènement du monde chrétien a lui-même constitué une formidable rupture avec la plupart des sagesses antiques prônant une quête du bonheur individuel et terrestre. La recherche moderne d'un perfectionnement par le travail sur soi a certes remplacé la quête chrétienne de sainteté par l'ascétisme et la grâce, mais elle rejoint aussi, par-delà deux millénaires de christianisme, la quête de sagesse des Anciens, et elle rencontre celle de l'Orient. S'il existe une différence entre les quêtes contemporaines du bonheur et celles des Anciens, elle ne concerne pas la poursuite du bonheur individuel ici et maintenant, mais tout autre chose : la séparation du bien individuel et du bien commun.

Pour les sages de l'Antiquité, en effet, comme pour les sagesses orientales d'ailleurs, le bonheur solitaire n'existe pas. L'harmonie politique étant conçue par les Grecs comme supérieure à l'équilibre individuel, il n'est pas concevable, pour eux, qu'on puisse être heureux sans participer de manière active au bien de la cité. Les stoïciens lient le bonheur du sage à son engagement, à son civisme. Par là, il participe au maintien de l'ordre du monde. Le bonheur individuel prôné par Platon, Aristote, Confucius ou le Bouddha ne se conçoit que dans une vision holistique où l'individu n'est pas séparé du groupe, de la cité, de la communauté. D'une part, parce que la spiritualité ou la philosophie suppose un effort commun, une transmission, une entraide, et se pratique essentiellement en groupe : *sangha* bouddhiste, direction spirituelle stoïcienne, amitié épicurienne. D'autre part – surtout chez les Grecs – parce que le bien commun est perçu comme supérieur au bonheur individuel et exige de chacun d'œuvrer pour le bien de la cité. Ainsi Aristote affirme-t-il clairement : « Même s'il y a identité entre le bien de l'individu et celui de la cité, c'est une tâche plus importante et plus parfaite d'appréhender et de sauvegarder le bien de la cité[97]. »

Les philosophes du XVIIIe siècle et les fondateurs de nos premières Républiques partageaient pleinement ce point de vue. Le bonheur individuel promis par les chantres des Lumières et figurant dans la Déclaration d'indépendance américaine s'inscrit dans le projet plus large d'un bonheur collectif. Amélioration du bien-être individuel et amélioration de la société vont de pair. Les XVIIIᵉ et XIXᵉ siècles ont été portés par une formidable croyance dans le progrès des sociétés humaines par l'exercice de la raison, la science, l'éducation, le droit. L'émancipation de l'individu et sa poursuite du bonheur personnel s'accompagnaient alors encore des grands idéaux républicains de liberté, d'égalité, de fraternité, et tous aspiraient à un monde meilleur, même si l'intérêt obtus des nations et leurs desseins expansionnistes aboutirent aux terribles conflits du XXᵉ siècle[98]. Les grands idéaux collectifs n'ont pas disparu pour autant, et, au lendemain de la Seconde Guerre mondiale, la volonté de changer le monde galvanisait encore des centaines de millions d'individus. Les communistes croyaient en une société idéale possible pour l'avènement de laquelle ils se battaient. Du Dr Schweitzer à l'abbé Pierre, les chrétiens sociaux s'engageaient pour améliorer la condition de leurs semblables, et les hippies de la « contre-culture » brandissaient la bannière « *Peace and Love* ».

La consommation de masse et la révolution des mœurs de la fin des années 1960 ont marqué un profond tournant. On assiste alors à une extension accélérée des libertés individuelles dans le cadre d'une société en proie à un consumérisme exacerbé. De plus en plus préoccupés d'eux-mêmes et de la satisfaction de leurs désirs, les individus consacrent l'essentiel de leurs efforts à accroître leur confort matériel et à parachever leur réussite sociale. Cet essor d'une nouvelle forme d'individualisme dessine

une profonde césure : le lien entre bonheur individuel et bien commun se brise au sein de nos sociétés
modernes, tout particulièrement en France. Dans son
essai sur *L'Ère du vide*[99], Gilles Lipovetsky a remar-
quablement analysé cette seconde révolution individualiste. Tandis que l'individu issu de la première
révolution (avènement de la modernité) était encore
imprégné des grands idéaux collectifs et d'un vif intérêt pour la chose publique, l'individualisme contemporain se réduit à un narcissisme. Chacun n'est plus
préoccupé que par la quête de son plaisir immédiat,
par sa réussite personnelle et par la défense de ses
intérêts. L'égocentrisme, l'indifférence aux autres et
au monde sont devenus, pour beaucoup, la norme.
On retrouve dans les romans de Michel Houellebecq
une bonne description de cet individualisme narcissique : ses personnages sont apathiques, égoïstes,
frustrés, cyniques, adeptes d'un hédonisme sans joie,
d'un narcissisme désabusé. Le mot d'ordre de ce
type d'individualisme pourrait être : « Après moi, le
déluge. » Toujours désireux de posséder davantage,
nous sommes néanmoins conscients des limites et
des dangers de la logique mercantile qui gouverne le
monde ; mais convaincus qu'il ne sert à rien d'œuvrer
pour tous, que nous sommes pris dans des logiques
mortifères qui nous dépassent, confrontés à nos
peurs et à notre impuissance, il ne nous reste plus
qu'à donner libre cours à nos désirs pulsionnels dans
une sorte de nihilisme passif. C'est en cela que la
situation de l'homme contemporain est inédite.

Cependant, bien que ces comportements soient
encore largement dominants, nous assistons, depuis

une bonne dizaine d'années, à la naissance de ce que j'appellerais la « troisième révolution individualiste ». Quelque chose a en effet commencé à changer à la fin des années 1990 et au début des années 2000 avec, de manière concomitante, l'essor et la démocratisation du développement personnel, des spiritualités orientales ou de la philosophie comme sagesse, mais aussi avec la naissance du mouvement altermondialiste et l'apparition des forums sociaux, le développement de la conscience écologique, l'irruption de nombreuses initiatives de solidarité à l'échelle de la planète comme le microcrédit, la finance solidaire, ou encore, plus récemment, le mouvement des Indignés. Ces divers mouvements sont révélateurs d'un besoin de redonner du sens tant à sa vie personnelle, à travers un travail sur soi et un questionnement existentiel, qu'à la vie commune à travers un regain des grands idéaux collectifs.

Ces deux quêtes apparaissent d'ailleurs souvent intimement liées. Ce sont fréquemment les mêmes personnes qui accomplissent un travail psychologique ou spirituel sur elles-mêmes, qui sont sensibles à l'écologie, s'engagent dans des associations humanitaires, participent à des actions citoyennes, etc. L'époque du clivage entre le militant politique ou humanitaire exempt de toute préoccupation d'ordre spirituel et le méditant New Age uniquement préoccupé d'améliorer son karma est déjà en grande partie derrière nous. Pour beaucoup, préoccupations spirituelles et planétaires, souci de soi et conscience du monde sont intriqués. Certes, il s'agit là d'un courant encore minoritaire. L'individualisme narcissique et l'idéologie consumériste tiennent toujours le haut du pavé en Occident. Mais ces « signaux faibles », apparus aux quatre coins du monde, constituent une alternative cohérente aux logiques destructrices ; ils montrent que la recherche du bonheur individuel n'est pas nécessairement disjointe de son inscription dans la cité et du souci du bien commun.

Les deux vont effectivement de pair. Nous avons vu précédemment comme le bonheur individuel est contagieux. Les penseurs utilitaristes anglo-saxons qui prônent « le maximum de bonheur pour le maximum de gens » (Bentham) ont eux aussi souligné le fait que nul ne saurait être durablement heureux dans un monde dangereux où la sécurité des biens et des personnes ne serait pas garantie. Cela ne peut avoir lieu que dans une société où les gens sont heureux. L'intérêt de chacun réside ainsi dans le bonheur de tous[100].

17

La quête du bonheur
peut-elle rendre malheureux ?

Il n'y a qu'un seul devoir : se rendre heureux[101].

DENIS DIDEROT

Pascal Bruckner est beaucoup plus convaincant lorsqu'il dénonce « l'impératif de bonheur » sévissant dans nos sociétés actuelles en montrant comment, depuis la fin de la Seconde Guerre mondiale, la quête de bonheur s'est progressivement muée en injonction au bonheur. Le « droit » au bonheur s'est mué en « devoir », et, du coup, en fardeau. L'homme moderne est « condamné » à être heureux et « ne peut s'en prendre qu'à lui-même s'il n'y parvient pas. [...] Nous constituons probablement les premières sociétés dans l'histoire à rendre les gens malheureux de ne pas être heureux. [...] À la dramatisation chrétienne de la salvation et de la perdition, fait pendant la dramatisation laïque de la réussite et de l'insuccès[102] ».

De fait, l'obsession du bonheur fait bien souvent obstacle au bonheur. D'abord parce que la société marchande nous fait miroiter maintes fausses promesses du bonheur liées à la consommation d'objets, à l'apparence physique, à la réussite sociale. Ceux qui y succombent iront bien souvent de désirs assouvis en nouveaux désirs insatisfaits, donc de frustration en frustration. Ensuite, parce que l'hédonisme contemporain se pratique souvent au prix d'une coûteuse ascèse. Le bonheur, comme jadis le salut, se mérite. Le sociologue allemand Max Weber a montré que la Réforme protestante « a fait sortir du monastère ascétisme chrétien et vie méthodique pour les mettre au sein de la vie active dans le monde[103] ». Le sacré s'écrit dorénavant avec la grammaire du profane : la discipline respectée par les moines pour assurer leur salut s'est progressivement muée en une autre forme d'astreinte : celle à laquelle chacun s'oblige en vue d'accéder au bonheur. Ascèse du trader qui travaille jour et nuit pour s'enrichir, figure ultramoderne de l'entrepreneur capitaliste puritain décrit par Weber. Ascèse du coureur marathonien, de l'adepte assidu des salles de sport, de tous les sportifs de haut niveau (l'exercice physique apparaît d'ailleurs bien souvent comme l'équivalence moderne des exercices spirituels des Anciens). Et tout simplement ascèse des parents qui jonglent entre métiers accaparants, enfants, hobbies, amis, et finissent par s'épuiser à vouloir tout mener de front.

Enfin, des études américaines ont mis en évidence le fait que le malheur résulte souvent du fait qu'on s'est fixé des objectifs trop élevés qu'on ne parvient jamais à atteindre... à commencer par vouloir être très heureux ! Elles confirment les travaux du chercheur français Alain Ehrenberg sur « la fatigue d'être soi ». Croisant l'histoire de la psychiatrie et la sociologie des modes de vie, Ehrenberg a montré que les nombreuses formes de dépression qui affectent aujourd'hui l'homme occidental (fatigue chronique, insomnie, anxiété, stress, indécision...) constituent le prix à payer pour le double impératif d'autonomie et d'accomplissement de soi. Véritable « maladie de la responsabilité », la dépression est le symptôme de l'individu libéré des tutelles religieuses et sociales qui entend néanmoins répondre à l'impératif moderne de se réaliser par soi-même. « En 1800, écrit le sociologue, la question de la personne pathologique apparaît avec le pôle folie-délire. En 1900, elle se transforme avec les dilemmes de la culpabilité, dilemmes qui déchirent l'homme rendu nerveux par ses tentatives de s'affranchir. En l'an 2000, les pathologies de la personne sont celles de la responsabilité d'un individu qui s'est affranchi de la loi des pères et des anciens systèmes d'obéissance et de conformité à des règles extérieures. La dépression et l'addiction sont comme l'avers et l'envers de l'individu souverain[104]. » Une telle analyse s'applique on ne peut mieux à la moderne injonction au bonheur qui peut rendre les individus malheureux.

Faut-il pour autant ne pas chercher à être heureux ? L'attitude juste, pour le devenir, consiste-t-elle à ne rien attendre, ne rien souhaiter, ne rien espérer ? À laisser la vie agir sans se donner d'objectifs, sans poursuivre quelque idéal que ce soit ? Certes, on peut être heureux sans jamais se poser la question du bonheur et parfois même cette seule question peut compliquer l'existence. Une amie brésilienne m'a confié avoir vécu longtemps dans une certaine insouciance en étant satisfaite de sa vie. Et puis un jour, une amie venant vivre en France lui a posé la question : « Est-ce que tu es heureuse ? » Et mon amie de conclure : « Je ne m'étais jamais posé cette question et soudain j'ai perdu la joie de vivre car cette interrogation m'a tourmentée ! »

En même temps, comme le rappelle le philosophe anglais David Hume, « la grande fin de toute activité laborieuse de l'homme, c'est d'atteindre le bonheur. Dans ce but, les arts furent inventés, les sciences cultivées, les lois ordonnées, et les sociétés modelées par la plus profonde sagesse des patriotes et des législateurs[105] ». Toute l'histoire est faite de rêves ou d'utopies mis en œuvre par des individus et des sociétés. C'est parce que les humains ont souhaité une vie meilleure et ont tout fait pour y parvenir que se sont accomplis les grands progrès de l'humanité. Il en va de même dans notre vie personnelle : c'est parce que nous voulons progresser, être plus heureux que notre vie s'améliore et nous procure de plus en plus de satisfaction. L'obsession du bonheur ou la quête d'un bonheur trop parfait peut produire le résultat inverse. Tout l'art du bonheur consiste donc à ne pas se fixer des objectifs trop élevés, inatteignables, écrasants. Il est bon de les graduer, de les atteindre par paliers, de persévérer sans crispation tout en sachant parfois lâcher prise et accepter les échecs et les aléas de la vie. C'est ce que Montaigne et les sages taoïstes chinois ont bien compris et expliqué : laisser s'exercer son attention sans effort ; ne jamais affronter une

situation en vue de la forcer ; savoir agir et ne pas
agir. Bref, espérer le bonheur et le poursuivre tout
en étant souple, patient, sans attentes démesurées,
sans crispation, en constante ouverture de cœur et
d'esprit.

18

Du désir à l'ennui :
le bonheur impossible

> *La vie donc oscille, comme un pen-*
> *dule, de droite à gauche, de la souf-*
> *france à l'ennui*[106].
>
> ARTHUR SCHOPENHAUER

L'objectif de la sélection naturelle est la survie de l'espèce, non le bonheur des individus. Pour nous adapter et survivre, nous avons développé trois capacités qui peuvent constituer autant d'obstacles au bonheur individuel :

L'*accoutumance* est une qualité adaptative qui permet de supporter quelque chose de pénible et de répétitif. Elle présente néanmoins deux inconvénients : on peut s'habituer à un certain malheur et ne plus rechercher à être heureux ; à l'inverse, on peut s'habituer au bien-être et ne plus avoir conscience de son bonheur.

Ce phénomène est accentué par le fait qu'afin de mieux parer aux dangers on prend davantage conscience des événements *négatifs* que des positifs. Notre cerveau est fait pour repérer les problèmes et se concentrer sur eux plutôt que pour s'attarder sur les événements positifs.

Enfin l'*insatisfaction* nous fait rechercher toujours mieux et toujours plus : c'est ainsi que l'être humain a sans cesse cherché à améliorer son sort. Or cette qualité adaptative risque fort de faire obstacle au bonheur lorsque nous nous révélons de perpétuels insatisfaits.

Insistons sur ce dernier point, assurément le plus important, qui a retenu l'attention de tous les philosophes conduits à réfléchir à la question du bonheur. L'assouvissement d'un besoin ou d'un désir nous apporte certes une réelle satisfaction : j'ai faim et suis heureux de manger ; un enfant a envie d'un jouet et est satisfait de le posséder ; un salarié est heureux d'obtenir la promotion longtemps désirée, etc. Mais ces satisfactions sont de courte durée, car surgissent bientôt de nouvelles envies. « Tant que demeure éloigné l'objet de nos désirs, il nous semble supérieur à tout le reste ; est-il à nous, que nous désirons autre chose, et la même soif de la vie nous tient toujours en haleine », fait justement observer le philosophe romain Lucrèce à la suite d'Épicure[107]. L'être humain est un perpétuel insatisfait qui court ainsi de désir en désir. On peut dès lors identifier, comme Kant, le vrai bonheur, c'est-à-dire un bonheur profond, durable et global, à l'assouvissement de tous nos désirs et de toutes nos aspirations : « Le bonheur est la satisfaction de toutes nos inclinations tant en extension, c'est-à-dire en multiplicité, qu'en intensité, c'est-à-dire en degré, et en protention, c'est-à-dire en durée[108]. » Mais un tel bonheur ne peut évidemment exister et Kant conclut logiquement que le bonheur sur terre est inaccessible. Comme on l'a vu, il situe, à la suite de Platon, le bonheur dans l'au-delà. Pour les âmes nobles et droites, le vrai bonheur restera toujours ici-bas à espérer ; il ne faut pas le poursuivre, mais s'en rendre digne par son action vertueuse ou par la sainteté de sa vie.

Schopenhauer partage le scepticisme kantien vis-à-vis du bonheur terrestre : « La satisfaction d'aucun souhait ne peut procurer de contentement durable et inaltérable. C'est comme l'aumône qu'on jette à un mendiant : elle lui sauve la vie aujourd'hui pour prolonger sa misère jusqu'à demain. Tant que notre conscience est remplie par notre volonté, tant que nous sommes asservis à l'impulsion du désir, aux espérances et aux craintes continuelles qu'il fait naître, tant que nous sommes sujets du vouloir, il n'y a pour nous ni bonheur durable ni repos[109]. » Mais, à la différence de Kant, Schopenhauer ne croit pas en une bienheureuse vie éternelle dans l'au-delà. S'ensuit un pessimisme d'autant plus radical que, comme le philosophe le fait remarquer, lorsque tous nos désirs sont satisfaits, même dans la modération, on devient blasé ! Les affres du désir nous font souffrir, le calme de l'assouvissement nous plonge dans l'ennui : « La vie donc oscille, comme un pendule, de droite à gauche, de la souffrance à l'ennui[110]. » Le bonheur est pour lui une fin inaccessible et ne peut se goûter, d'une manière imparfaite, que dans l'activité créatrice, sans cesse source de nouveauté pour l'artiste. Il ne peut finalement être appréhendé que de manière

négative, conclut-il : la satisfaction ou le contentement ne sont que cessation d'une douleur ou d'une
privation. Avec l'expérience, affirme Schopenhauer,
« nous cessons de rechercher le bonheur et le plaisir
et sommes uniquement préoccupés d'échapper autant
que faire se peut à la douleur et à la souffrance. [...]
Nous voyons que le mieux qu'on puisse trouver au
monde est un présent sans souffrance, qu'on puisse
supporter paisiblement[111]. »

Pour nombre de penseurs modernes, la définition
du bonheur s'arrête là : un instant de répit entre
deux moments de souffrance. C'est notamment le cas
de Freud : « Ce qu'on nomme bonheur, au sens le
plus strict, résulte d'une satisfaction plutôt soudaine
de besoins ayant atteint une haute tension et n'est
possible, de par sa nature, que sous forme de phénomène épisodique[112]. »

Au fond, la définition du bonheur selon Kant,
Schopenhauer ou Freud reste conforme au fonctionnement de notre ego : que le monde se plie à nos
désirs. D'où son caractère illusoire. Mais elle fait fi
de la capacité de notre esprit à quitter ce mode de
fonctionnement pour nous faire désirer « ce qui est ».
L'esprit ainsi éclairé engage la volonté à aimer la vie
telle qu'elle est, non telle que nous souhaiterions
qu'elle soit. Là est l'extraordinaire défi de la sagesse,
qu'elle soit d'Orient ou d'Occident.

19

Le sourire
du Bouddha et d'Épictète

*Ce qui tourmente les hommes ce
n'est pas la réalité, mais les opinions
qu'ils s'en font*[113].

ÉPICTÈTE

*Ce ne sont pas les choses qui te lient,
mais ton attachement aux choses*[114].

TILOPA

Que ce soit en Inde ou en Grèce, un certain
nombre de sages affirment avoir trouvé une
issue à l'impasse où se trouve l'homme qui cherche à
adapter le monde à ses désirs : inversant la problématique, le sage cherche à adapter ses désirs au monde.
Il vise à les maîtriser, à les limiter, voire à les neutra-
liser pour s'accorder au réel. Il peut ainsi être satisfait
de sa vie, quels que soient les faits extérieurs qui
surviennent et risquent de l'affecter. Autrement dit,
le bonheur du sage ne dépend plus des événements
toujours aléatoires émanant du monde qui lui est
extérieur (santé, richesse, honneurs, reconnaissance,

etc.), mais de l'harmonie de son monde intérieur. C'est parce qu'il a su trouver la paix en lui-même qu'il est heureux. Plutôt que de vouloir changer le monde, le sage concentre ses efforts à se changer. Son bonheur est immanent : il se réalise ici-bas, dans le monde tel qu'il est, au plus intime de lui-même.

C'est par ce renversement que le bonheur devient possible. L'obstacle au bonheur n'est pas la réalité, mais la représentation que nous en avons. Une même réalité peut être perçue différemment par deux personnes : l'une s'en féliciter, l'autre en être malheureuse. Un individu donné peut percevoir une grave maladie comme un terrible coup du sort, alors qu'un autre, par-delà la douleur présente, y verra une occasion de se remettre en question, de changer telle ou telle chose dans sa vie, et ne se départira pas de sa paix intérieure. Face à une agression, certains ressentiront de la haine, un désir de vengeance, quand d'autres n'éprouveront aucun ressentiment : « Combien tuerais-je de méchants ? Leur nombre est infini, comme l'espace. Alors que si je tue l'esprit de haine, tous mes ennemis sont tués en même temps », écrit le sage bouddhiste Shantideva dans *La Marche vers l'Éveil*. Et le sage stoïcien Épictète d'affirmer en écho : « Souviens-toi que ce qui te cause du tort, ce n'est pas qu'on t'insulte ou te frappe, mais l'opinion que tu as qu'on te fait du tort. Donc, si quelqu'un t'a mis en colère, sache que c'est ton propre jugement le responsable de ta colère[115]. »

De fait, j'ai toujours été frappé par les nombreuses ressemblances entre bouddhisme et stoïcisme. Mais plus récemment, j'ai aussi été intrigué par celles qui existent entre les sagesses, plus flexibles et à taille humaine, de Montaigne et des sages taoïstes Lao-tseu et Tchouang-tseu, ou encore de celles, joyeuses et non dualistes, de Spinoza et de l'*Advaita Vedanta* de l'Inde telle qu'elle a été vécue par exemple à l'époque contemporaine par la sage Mâ Anandamayî.

Ce sont donc ces trois grands chemins de sagesse – transmutation du désir, accompagnement souple de la vie, libération joyeuse du moi – que l'on trouve autant en Orient qu'en Occident, que je voudrais évoquer dans les trois chapitres suivants pour répondre au pessimisme des modernes. Comment parvenir au bonheur profond que promet la sagesse ? La première voie, proposée par le bouddhisme et le stoïcisme, est sans doute la plus radicale : elle entend s'attaquer à la source du problème en proposant d'éliminer la soif, l'attachement.

La sagesse stoïcienne est née à Athènes dans un contexte de crise politique et religieuse qui n'est pas sans parenté avec celle que nous traversons actuellement en Europe. Déstabilisées par les conquêtes d'Alexandre le Grand, les cités grecques ont perdu le sentiment de supériorité qu'elles avaient sur le reste du monde, et sont aussi travaillées par une forte poussée de la raison critique qui fait perdre son autorité à la religion traditionnelle. Se fait sentir le besoin d'un nouveau langage religieux, plus conforme aux progrès de la raison, et c'est ainsi qu'apparaissent des écoles de sagesse qui soit mettent les dieux anthropomorphiques de côté (Épicure), soit les remplacent par la figure d'un Dieu unique accessible par la raison

(Aristote), ou bien encore par une conception pan-
théiste et immanente qui identifie le divin au cosmos.
Cette dernière vision est celle des stoïciens.

Le nom de cette nouvelle école vient du mot grec
stoa, le portique au-dessous duquel enseignait leur
fondateur, Zénon de Kition (v. 335-v. 264). Simple
marchand originaire de Chypre, Zénon devint ainsi le
« stoïcien », « l'homme du portique ». Rompant avec
le caractère aristocratique de l'enseignement de Platon
ou d'Aristote, renouant avec la figure socratique,
Zénon entendait faire descendre la philosophie dans
la rue. Méprisé par les élites intellectuelles parce qu'il
n'était pas grec, il toucha rapidement le peuple par
la force de sa parole et son mode de vie très simple.
S'adressant à tous – citoyens, esclaves, hommes et
femmes, Grecs et métèques, hommes cultivés et anal-
phabètes –, il fonda une école qui allait exercer une
énorme influence sur l'ensemble du monde grec et
romain pendant plus de sept siècles.

L'essentiel de la doctrine stoïcienne a été couché
par écrit par le principal disciple de Zénon, Chrysippe,
au milieu du IIIe siècle avant notre ère. Quelles en
sont les lignes de force ?

La première idée majeure, c'est que le monde est
un (tout est à la fois matière, esprit, divin) et peut
être conçu comme un grand corps vivant répondant
aux mêmes lois naturelles et peuplé de correspon-
dances (on dirait aujourd'hui de connexions). La
deuxième, c'est que le monde est rationnel : le *logos*
(raison) divin le sous-tend de part en part et chaque
être humain participe, par son *logos* personnel, du
logos universel. La troisième, c'est qu'il existe une

loi de nécessité immuable, de causalité universelle, fixant le destin de tous les individus. La quatrième, enfin, affirme la bonté du monde : tout ce qui arrive advient pour le mieux de tous les êtres (compte tenu de l'extraordinaire complexité du cosmos et de la vie), même si nous n'en avons pas conscience et que nous vivons avec le sentiment d'un mal apparent. Il découle d'une telle conception du monde que le bonheur de l'homme réside dans l'acceptation de ce qui est, dans une attitude d'adhésion à l'ordre cosmique.

Épictète a vécu à Rome au Ier siècle de notre ère. Avec Sénèque et Marc Aurèle, il est sans conteste l'un des meilleurs vulgarisateurs de la sagesse stoïcienne, mais aussi un modèle du sage accompli, et fut vénéré comme tel de son vivant par une foule de disciples. Ancien esclave devenu philosophe, boiteux, humblement vêtu, il vivait dans une misérable masure et enseignait le détachement à des hommes et des femmes de toutes conditions. Chassé d'Italie alors qu'il avait quarante ans par un édit de Domitien hostile aux philosophes, il se réfugia à Nicopolis et y fonda une école. Comme Socrate, Jésus ou le Bouddha, il décida de ne rien écrire lui-même. Mais son disciple Arrien a résumé son enseignement dans des *Entretiens* qu'il condensera davantage encore dans un petit *Manuel* qui exprime la quintessence de la philosophie stoïcienne : se maîtriser et supporter l'adversité en distinguant ce qui dépend de soi, sur quoi on peut agir, du reste face auquel on est impuissant.

Épictète prend deux exemples frappants pour mieux faire comprendre cette philosophie. D'abord celui d'une charrette à laquelle un chien est attaché.

Si l'animal résiste, il sera de toute façon obligé de suivre la charrette tirée par un cheval puissant et souffrira terriblement de ses efforts pour éviter l'iné-vitable. Mais s'il accepte sa situation, il épousera le mouvement et la vitesse de la charrette et arrivera à bon port sans fatigue ni souffrance. Il en va de même pour l'être humain dont la volonté doit ne faire qu'une avec la nécessité du destin. Il ne nous appar-tient pas de choisir ce qui ne dépend pas de nous (notre corps, les biens extérieurs, les honneurs, etc.), mais il nous appartient d'acquiescer au réel tel qu'il est et de changer ce qui dépend de nous : opinions, désirs, aversions. Pour mieux se faire comprendre, Épictète utilise encore l'image d'un acteur : il ne choi-sit ni son rôle – un mendiant ou un noble, un homme maladif ou en bonne santé, etc. – ni la longueur de la pièce, mais il est entièrement libre de son interpré-tation : il peut jouer bien ou mal ; jouer avec plaisir si le rôle lui convient, ou avec réticence ou dégoût s'il ne l'aime pas. « N'attends pas que les événements arrivent comme tu le souhaites ; décide de vouloir ce qui t'arrive et tu seras heureux[116] », conclut le philo-sophe. Et de citer maints autres exemples de l'attitude à avoir lorsque nous sommes contrariés ou troublés par des événements extérieurs : « Devant tout ce qui t'arrive, pense à rentrer en toi-même et cherche quelle faculté tu possèdes pour y faire face. Tu aperçois un beau garçon, une belle fille ? Trouve en toi la tem-pérance. Tu souffres ? Trouve l'endurance. On t'in-sulte ? Trouve la patience. En t'exerçant ainsi, tu ne seras plus le jouet de tes représentations[117]. »

La sagesse stoïcienne considère que le désir affecte l'âme et la soumet : c'est une « passion » de l'âme. Au désir les stoïciens substituent la volonté, mue par la raison (*logos*) et qui transforme nos désirs aveugles en mouvements volontaires et réfléchis. Le désir instinctif, entièrement orienté vers le plaisir, est banni au profit de la volonté lucide et rationnelle qui conduit au bonheur, puisque la volonté ainsi conçue n'engendre que des actes vertueux et élimine les désirs pouvant perturber la tranquillité de l'âme. Le stoïcisme est donc une philosophie *volontariste*, qui exige une parfaite maîtrise de soi. À proprement parler, d'ailleurs, les stoïciens ne prétendent pas annihiler les désirs, mais les convertir en volonté soumise à la raison.

Les deux objectifs visés par la sagesse stoïcienne sont la tranquillité de l'âme (*ataraxia*) et la liberté intérieure (*autarkeia*). Cette dernière, nous l'avons vu, consiste à faire coïncider notre volonté avec l'ordre cosmique : je suis libre lorsque je veux ce qui arrive par nécessité. Ainsi, je ne me plains plus, ne me débats pas, n'éprouve plus aucun ressentiment, mais, au contraire, me réjouis de tout et préserve, en toutes circonstances, ma paix intérieure.

Pour mieux y parvenir, les stoïciens ont analysé avec une remarquable finesse psychologique les très nombreuses passions humaines : ils en dénombraient soixante-seize réparties en trente et un désirs (dont six colères), vingt-six chagrins, treize peurs et six plaisirs. Mais, surtout, ils pratiquaient des exercices spirituels. Le plus connu d'entre eux est la vigilance (*prosoché*) : une attention de chaque instant qui permet d'adopter l'attitude appropriée dès que surgit un événement extérieur ou une émotion intérieure. « Vivre le présent » est l'un des principaux préceptes de la pratique stoïcienne qui enseigne à éviter toute fuite dans le passé, toute évasion dans le futur, à chasser toute crainte comme tout espoir, à se concentrer sur l'instant, où tout est supportable et transformable, plutôt que de se laisser submerger par les peurs, les angoisses, les colères, les chagrins ou les désirs suscités par notre imagination.

Autre exercice important, qui semble quelque peu contradictoire avec le précédent : l'anticipation des événements fâcheux – la *præmeditatio malorum*, dont parle Cicéron – qui consiste à se représenter quelque événement désagréable susceptible d'advenir, afin de « dédramatiser » d'avance la situation par la réflexion et se préparer à avoir l'attitude la plus appropriée si ledit événement vient à se produire.

Les stoïciens préconisent aussi l'examen de conscience quotidien, notamment afin de mesurer les progrès accomplis de jour en jour et la méditation. Celle-ci est essentiellement conçue comme une « rumination », une mémorisation de la doctrine, afin de ne pas être pris au dépourvu lorsque va surgir un trouble ou quelque épisode contrariant. C'est la raison pour laquelle le stoïcisme tardif – *grosso modo*, celui de la Rome impériale – s'est quelque peu désintéressé de tous les fondements théoriques de l'école, au profit des *conseils pratiques* aidant à vivre et que les disciples se répétaient sans relâche. Le stoïcisme romain fourmille ainsi de manuels, de pensées, d'entretiens, de lettres ou de maximes qui proposent des sentences brèves et frappantes destinées à soutenir les débutants. Qu'il s'agisse du *Manuel* ou des *Entretiens* d'Épictète, des *Lettres* de Cicéron ou de Sénèque, des *Pensées* de Marc Aurèle, ces textes ont connu une exceptionnelle postérité dans la mesure où ils peuvent être compris et utilisés dans un cadre théorique autre que celui proposé par le stoïcisme. Des Pères de l'Église à Schopenhauer en passant par Montaigne, Descartes ou Spinoza, les sentences stoïciennes n'ont jamais cessé d'irriguer la doctrine chrétienne et la tradition philosophique occidentale.

Quelques siècles toutefois avant la naissance du stoïcisme, naissait en Inde une autre sagesse qui allait tenir presque le même discours : le bouddhisme. Avant de revenir sur les ressemblances frappantes entre ces deux grands courants de sagesse, voyons les fondements du second et comment se pose pour lui la question du bonheur.

Siddhārtha Gautama a vécu au VIe siècle avant notre ère. Son père était le chef d'un modeste clan du nord de l'Inde et il bénéficia d'une enfance protégée. Il se maria, eut un enfant, et, vers l'âge de trente ans, fit quatre rencontres qui bouleversèrent sa vie : il croisa un malade, un vieillard, un mort et un ascète. Il réalisa soudain que la douleur était le lot commun de l'humanité et que nul, riche ou pauvre, ne pouvait y échapper. Il quitta alors le palais de son père, abandonna sa famille et partit en quête d'une voie spirituelle qui pourrait lui permettre d'échapper à cette condition souffrante. Après avoir erré pendant cinq ans dans les forêts en se livrant à des pratiques ascétiques extrêmes, il s'assit au pied d'un pipal et entra dans une méditation profonde. C'est alors, selon la tradition bouddhiste, qu'il atteignit l'Éveil : une pleine compréhension de la nature des choses et un état de libération intérieure. Il se rendit ensuite au parc des Gazelles, près de Bénarès, où il retrouva cinq de ses anciens compagnons ascètes, et il leur délivra un long enseignement : le fameux « Discours sur la mise en mouvement de la roue du dharma », qui exprime la quintessence de sa doctrine.

Cette doctrine tient en quatre phrases lapidaires (les Quatre Nobles Vérités) construites à partir du mot *dhukka* que l'on traduit en français par « souffrance », mais qu'il ne faudrait pas entendre dans l'acception de douleur passagère, mais de malheur durable lié à la fragilité intérieure qui nous rend réceptifs et vulnérables à tout événement extérieur désagréable : la maladie, la pauvreté, la vieillesse, la mort. Que dit donc le Bouddha ? La vie est *dhukka*. L'origine de la *dhukka* est la soif, comprise au sens de désir/attachement. Il existe un moyen de supprimer cette soif, donc la *dhukka* ; ce moyen, c'est le Noble Chemin octuple, ou Chemin aux Huit Éléments justes. Chacune de ces formulations, qui constituent le socle commun du bouddhisme dans ses différentes écoles, mérite d'être quelque peu explicitée.

La première vérité dresse le constat de la non-satisfaction. C'est le symptôme de la maladie que le Bouddha énonce en sept expériences : la naissance est souffrance, la vieillesse est souffrance, la mort est souffrance, être uni à ce que l'on n'aime pas est souffrance, être séparé de ce que l'on aime est souffrance, ne pas savoir ce que l'on désire est souffrance, les cinq agrégats d'attachement sont souffrance. Autrement dit, la souffrance est omniprésente. Reconnaître le principe premier de la non-satisfaction, c'est admettre que l'on ne peut plier le monde à ses désirs. Ce constat lucide, objectif, est un premier pas sur la Voie.

La deuxième vérité est un diagnostic porté sur la cause de la souffrance : c'est, dit le Bouddha, le désir, la soif, l'avidité, l'attachement qui enchaînent l'être au *samsara*, la ronde incessante des morts et des renaissances, elle-même tributaire de la loi universelle de causalité qui régit le cosmos : le *karma* (chaque acte produit un effet).

La troisième vérité affirme que la guérison est possible : c'est, pour parvenir au tarissement complet de cette soif, la possibilité qu'a l'homme de renoncer à la tyrannie du désir/attachement, de s'en affranchir.

La quatrième vérité fournit le remède : c'est le « Chemin octuple » qui conduit à la cessation de la souffrance, c'est-à-dire au *nirvana* (état de bonheur absolu lié à l'extinction de la soif et à la connaissance de la vraie nature des choses). Ses huit composantes sont la compréhension juste, la pensée juste, la parole juste, l'action juste, le moyen d'existence juste, l'effort juste, l'attention juste et la concentration juste. Ces huit éléments correspondent traditionnellement à trois disciplines : la conduite éthique, la discipline mentale, la sagesse. En réitérant le terme « juste », le Bouddha définit ce que l'on nomme la « Voie du milieu ». Il aurait ainsi introduit son premier discours : « Un moine doit éviter deux extrêmes. Lesquels ? S'attacher aux plaisirs des sens, ce qui est bas, vulgaire, terrestre, ignoble, et qui engendre de

mauvaises conséquences, et s'adonner aux mortifi-
cations, ce qui est pénible, ignoble et engendre de
mauvaises conséquences. Évitant ces deux extrêmes,
ô moines, le Bouddha a découvert le Chemin du
milieu qui donne la vision, la connaissance, et conduit
à la paix, à la sagesse, à l'éveil et au *nirvana*. »

Pour comprendre comment l'homme peut accéder
à cette sagesse ultime, il importe de bien appréhender
ce qu'est le soi, autrement dit le principe qui produit
et accumule du *karma* (la loi de causalité de toutes
nos actions), qui s'engage dans la roue du *samsara,*
et qui, un jour, dans cette vie ou dans une autre,
s'en libérera peut-être pour accéder au *nirvana.* Le
Bouddha a défini le soi comme une combinaison
toujours mouvante de cinq agrégats constamment en
flux, qu'il décline ainsi : l'agrégat du corps (ou de la
matière), ceux des sensations, de la perception, des
formations de l'esprit (émotions, pulsions, volontés),
enfin celui de la conscience. Prenant le contrepied de
l'hindouisme, il récuse l'existence d'un soi permanent,
l'*atman* – sorte d'équivalent oriental de l'âme – dans
lequel il ne voit qu'une projection mentale. Il prône
au contraire la doctrine de l'*anatman*, le non-soi.

Or l'activité de notre ego se saisit de ces agrégats
pour nous donner l'illusion d'une identité stable,
d'un moi permanent. La pratique bouddhiste vise
justement à nous défaire de cette illusion, à « lâcher
l'ego », à accéder par là à la compréhension de la
nature ultime de l'esprit : un état lumineux de pure
connaissance qui échappe à tout conditionnement,
que la tradition bouddhiste du Mahayana (Grand
Véhicule) appelle « la nature du Bouddha ».

Le *samsara* n'est donc pas une condition objective de la réalité : le monde n'est pas en soi souffrance. Mais, du fait de notre ignorance, nous sommes dans le *samsara*, c'est-à-dire dans une perception erronée de la réalité, liée à l'ego et à l'attachement. La connaissance de la vraie nature des choses libère l'esprit des erreurs de perception et des émotions négatives. Cette libération consiste à prendre conscience de notre véritable nature, celle du Bouddha qui sommeille en nous et que nous devons réaliser.

C'est en découvrant par l'expérience de l'Éveil cette véritable nature de l'esprit que nous pouvons ne plus être mus par l'ego et accéder ainsi à un bonheur stable, permanent, puisque le désir insatiable qui produit la souffrance est lié au fonctionnement de l'ego. La tradition bouddhiste utilise le mot sanskrit *sukha* pour désigner le bonheur au sens où je l'entends ici : paix et harmonie profonde de l'esprit qui s'est transformé et qui n'est plus soumis aux aléas des événements agréables ou désagréables de la vie.

De même que pour les stoïciens, il serait réducteur d'affirmer que le bouddhisme enjoint à renoncer à tout désir. Le désir qu'il se propose d'abolir est celui qui crée de l'attachement (*tanha*, en sanskrit), alors qu'il encourage le désir noble de s'améliorer, de progresser dans la voie de la compassion, l'élan vers le bien (*chanda* en sanskrit).

La liste des points communs entre ces deux courants de sagesse d'Orient et d'Occident est longue[118]. L'un et l'autre font le constat que la douleur est liée à l'agitation, au trouble de l'esprit, et proposent une voie conduisant à un bonheur vrai, assimilé là aussi

à une paix intérieure profonde et joyeuse, à la sérénité, au repos de l'esprit. Ils invitent les individus à
se transformer eux-mêmes par une connaissance et
un effort intérieurs, à adopter une conduite éthique
juste prônant un équilibre de vie entre les extrêmes.
Ils proposent une analyse très fine des émotions et
des sentiments, et une foule d'exercices spirituels afin
de contrôler ses passions, de développer l'acuité et la
maîtrise de son esprit, de ne plus être le jouet de ses
représentations.

Mais leurs similitudes ne portent pas que sur
la psychologie humaine et le cheminement spirituel. Elles sont aussi frappantes dans leur compréhension philosophique du monde. L'un et l'autre
ont une conception cyclique du temps : l'univers
connaît en permanence des cycles de naissance, de
mort et de renaissance. Tous deux insistent aussi sur
le mouvement et l'impermanence de toutes choses
(les stoïciens s'appuient sur la doctrine du devenir
d'Héraclite selon lequel tout coule, on ne se baigne
jamais deux fois dans le même fleuve) ; sur l'unité de
l'homme et du monde et sur la présence en l'homme
d'une dimension cosmique (divine pour les stoïciens)
qui constitue sa véritable nature : ici la nature du
Bouddha, là le *logos*. Ils croient que les choses adviennent par nécessité, du fait d'une loi de causalité universelle (*karma* ou destin). Mais ils déclarent aussi la
liberté possible par un travail sur l'esprit et une juste
représentation des choses. C'est peut-être sur cet
ultime point qu'on pourrait cerner la différence la
plus notable entre stoïciens et bouddhistes : ces derniers, nous l'avons vu, nient la substance du soi, alors

que les stoïciens maintiennent l'idée d'un principe individuel permanent, même si celui-ci, le *logos,* n'est finalement qu'une parcelle du *logos* universel auquel il reviendra de s'unir après la mort de l'individu.

On a souvent reproché, en Occident, au bouddhisme et au stoïcisme d'être des écoles de la passivité, concentrées sur le changement individuel, mais pas assez sur le changement social. C'est là une vue superficielle qui méconnaît l'impact historique déterminant qu'ont eu ces deux grandes philosophies sur le destin du monde. En refusant de distinguer les individus d'après leur appartenance familiale, clanique, sociale, religieuse, mais en considérant que tout être humain peut atteindre l'Éveil ou l'ataraxie par un travail sur lui-même, elles ont introduit une extraordinaire révolution des valeurs. Pour elles, ce qui est digne, ce n'est pas le rang social, mais la vertu. Celui qu'il convient d'admirer et d'imiter, ce n'est pas le monarque ou l'aristocrate, ni même le prêtre, mais le sage, c'est-à-dire celui qui a su se rendre maître de lui-même. Elles ont montré que l'individu n'était pas qu'un rouage au sein d'une communauté, et en insistant sur l'égale dignité de tous les humains, tous dotés de la même nature fondamentale, elles ont fondé l'idée d'un homme universel, au-delà des cultures, et apporté au monde une vision sociale profondément subversive.

Le bouddhisme a logiquement réfuté le système des castes, ce qui lui a valu d'être banni de l'Inde. Quant au stoïcisme, en proclamant l'égalité ontologique de tous les humains, porteurs du même *logos* divin, il a fait sauter le verrou aristocratique de la pensée grecque et préparé le terrain à l'égalitarisme comme à l'univer-salisme chrétien, puis moderne.

« Si le pouvoir de penser nous est commun à tous, écrit ainsi Marc Aurèle, alors la raison [*logos*] nous est également commune et, par elle, nous sommes des êtres raisonnables. S'il en est ainsi, cette raison nous est également commune, qui nous dicte notre devoir. S'il en est ainsi, la loi aussi nous est commune. S'il en est ainsi, nous sommes citoyens. S'il en est ainsi, nous sommes membres égaux d'une communauté. S'il en est ainsi, l'univers est pour ainsi dire une cité. Car de quelle autre communauté l'ensemble de la race humaine peut-elle être citoyenne[119] ? »

Plus de deux mille ans avant la Déclaration uni-verselle des droits de l'homme, les stoïciens sont les inventeurs du cosmopolitisme, idée selon laquelle tous les êtres humains sont citoyens du monde, mais aussi égaux en droits. Quant au bouddhisme, il est certainement la sagesse d'Orient la mieux disposée à comprendre un tel message, qui lui est consubstantiel.

Ces fortes parentés entre bouddhisme et stoï-cisme, et leur modernité, expliquent pourquoi ces deux grandes sagesses nous parlent encore près de deux mille cinq cents ans après leur apparition. Dans le même temps, on peut les considérer comme les meilleurs antidotes à l'individualisme narcissique de notre époque : car si elles exhortent l'individu à la liberté et à l'autonomie, ce n'est pas à travers la satisfaction de tous ses désirs, mais, de manière radicalement inverse, à travers la maîtrise de soi et le détachement. Alors que nous prônons la liberté du désir, elles nous enseignent à nous libérer du désir.

Démarche salutaire, mais il n'en est sans doute pas de plus difficile à accomplir. Les stoïciens étaient conscients du caractère presque surhumain de la sagesse à laquelle ils aspiraient, ils n'en demeuraient pas moins attachés à la poursuivre comme une norme permanente de leurs actions.

20

Le rire de Montaigne
et de Tchouang-tseu

Notre grand et glorieux chef-d'œuvre,
c'est vivre à propos[120].

MONTAIGNE

Le rire de celui qui a atteint la féli-
cité est sans pourquoi[121].

TCHOUANG-TSEU

L a voie proposée par le bouddhisme et par le
stoïcisme pour atteindre à la sagesse est un chemin ardu. Le bonheur, la paix intérieure, la sérénité
viennent de la suppression des désirs ou de leur
conversion en un vouloir rationnel, ce qui n'est pas
une mince affaire. C'est aussi un chemin qui peut
être fort long : la tradition bouddhiste explique qu'il
faut de nombreuses vies pour prétendre accéder à
l'Éveil ! Ne sachant trop où nous en sommes dans
ce cheminement karmique séculaire et n'étant pas
forcément appelés à orienter toute notre vie en vue
de l'acquisition de cette sagesse ultime, considérons

une autre voie vers le bonheur qui pourra nous sembler plus accessible. Une voie à taille plus humaine, qui valorise davantage les plaisirs simples de la vie, sans pour autant renoncer au principe fondamental de la sagesse selon lequel l'homme doit apprendre à ajuster ses désirs au monde, et non l'inverse.

D'autres sages de l'Antiquité ont en effet proposé une solution moins radicale que celle du bouddhisme et du stoïcisme, qui prend en compte le caractère bon et naturel de la plupart des désirs humains. Comme nous l'avons déjà évoqué, c'est la voie des plaisirs modérés, prônée par Aristote et Épicure. Les plaisirs sont bons en soi, il faut juste les réguler par la raison : alors le Bien suprême, le bonheur, peut être assimilé à un état de plaisir stable. Dans une perspective assez proche, un écrivain et penseur français du XVIᵉ siècle, Michel de Montaigne, va frayer un chemin de sagesse joyeux, modeste, conforme à la nature de chacun, qui trouve un écho étonnant chez les sages chinois taoïstes, tout particulièrement Tchouang-tseu, principal fondateur du taoïsme philosophique avec Lao-tseu.

On pourrait résumer cette sagesse en quelques mots : rien n'est plus précieux que la vie, et pour être heureux, il suffit d'apprendre à aimer la vie et à en jouir avec justesse et souplesse, selon sa nature propre. Tchouang-tseu et Montaigne ont aussi un trait en commun : l'humour. Ces deux sceptiques se moquent des dogmatiques, se plaisent à raconter des anecdotes truculentes, tournent en dérision les suffisants, savent rire d'eux-mêmes et de leurs semblables.

Descendant de négociants bordelais, Pierre Eyquem devient en 1519 seigneur de Montaigne, château et domaine acquis par son grand-père. C'est là que naît en 1533 Michel qui va ainsi porter le nom de Montaigne. Pierre devient maire de Bordeaux alors que Michel a vingt et un ans. Doté d'une nature aimable et enjouée, le jeune homme entame des études de droit et devient conseiller au parlement de Bordeaux où il fait la rencontre d'Étienne de La Boétie, le grand ami de sa vie, qui décédera prématurément cinq ans après leur rencontre. Il se marie à trente-deux ans à Françoise de la Chassaigne qui lui donnera six filles, dont une seule survivra : Léonore. À la mort de son père, Michel devient propriétaire et seigneur de Montaigne. À trente-huit ans, il se retire dans son château pour entamer la rédaction de ses *Essais*, publiés neuf ans plus tard, en 1580. Cette même année, il entreprend un voyage de quatorze mois en Allemagne et en Italie d'où il rentre pour devenir maire de Bordeaux, charge à laquelle il a été élu en son absence. Bien que réélu, il l'abandonne en 1585 pour se consacrer à la réédition de ses *Essais* sur lesquels il travaille jusqu'à sa mort, en 1592, à l'âge de cinquante-neuf ans.

Cette vie en apparence paisible se déroule dans un contexte historique particulièrement violent et troublé – épidémies, famines, guerres de Religion – qui exerce une forte influence sur sa pensée.

Montaigne a lu la plupart des sages de l'Antiquité, notamment les stoïciens qu'il cite souvent. Pourtant, il le dit aussi ouvertement, il se sent tout à fait incapable de suivre cette voie, du moins dans sa radicalité. De même exprime-t-il son admiration pour Socrate, mais pour affirmer qu'il se serait enfui sans hésiter plutôt que d'obéir à la loi inique qui le condamnait à mourir : « Si [les lois] me menaçaient seulement le bout du doigt, je m'en irais incontinent en trouver d'autres, où que ce fût[122]. » Pour Montaigne, les sages sont certes admirables, et nous avons besoin de leur exemple pour nous montrer l'idéal de la sagesse, mais ils ne sont pas imitables par tout un chacun. Sa position à ce sujet, comme sur bien d'autres, n'a cessé de progresser, comme le montre l'évolution de sa pensée dans les *Essais*, seul ouvrage qu'il ait écrit et qui condense en trois volumes sa vie et ses réflexions sur lui-même, le monde, la société, les hommes et les bêtes, la vie et la mort. Écrit dans le français de son époque, sa lecture n'est pas toujours aisée, malgré l'extraordinaire saveur de la langue. Elle recèle pourtant des trésors de sagesse et d'humanité.

Le rapport que Montaigne entretient avec la mort donne un excellent exemple de l'évolution de sa pensée. S'inspirant d'une formule de Cicéron[123], il intitule le chapitre XX du premier volume des *Essais* : « Que philosopher, c'est apprendre à mourir », et y livre une parfaite leçon de philosophie stoïcienne : contrairement au vulgaire, « n'ayons rien si souvent en tête que la mort » afin de nous y accoutumer et de ne plus la craindre lorsqu'elle surviendra. Mais, à la fin de sa vie, lorsqu'il rédige le chapitre XII du troisième livre, il confesse qu'il lui semble tout compte fait préférable de n'avoir, comme les paysans qu'il observe, aucune pensée de la mort. La mort n'est finalement que le « bout », la « fin » de la vie, pas son « but » ni son « objet ». Bref, la vie est bien trop précieuse pour penser à autre chose qu'à elle.

Montaigne admire le Christ autant que Socrate, mais il trouve également l'idéal évangélique excessivement élevé : il se juge bien incapable de donner sa vie, voire ses biens, et tout autant de compatir en permanence à la souffrance d'autrui. Il est en quête d'une sagesse à sa portée, à la mesure de ses forces. « Je ne suis pas philosophe, écrit-il. Les maux me foulent selon qu'ils pèsent[124]. » Il cherche à éviter les ennuis, les polémiques inutiles, les situations délicates, les complications. Il s'efforce de ne pas penser à ce qui le fâche, de ne pas ruminer ses soucis, mais de se réjouir des menus plaisirs de la vie et de ne penser, autant que faire se peut, qu'à ce qui le rend joyeux.

Cette sagesse du quotidien, Montaigne la pratique aussi bien dans sa vie intime que professionnelle. En politique, il manie l'art du compromis, évite la confrontation et considère que son rôle consiste davantage à trouver les arrangements nécessaires qu'à offrir de grands desseins ou à vouloir bouleverser l'ordre des choses. Dans la vie intime comme en politique, une chose lui paraît certaine : il convient d'éviter les grandes passions, celles qui dérèglent l'esprit, portent vers l'illusion de l'illimité et conduisent aux actions extrêmes.

Si Montaigne prône ainsi une voie modeste et limitée, c'est qu'il est en quête d'une sagesse à sa mesure, c'est-à-dire *conforme à sa nature*, à ce qu'il est, lui, Michel de Montaigne. Nous touchons là à ce qu'il y a sans doute de plus original, mais aussi de plus profond dans sa pensée. Car ce qu'il reproche aux grandes écoles de l'Antiquité, ce n'est pas seulement le caractère presque inaccessible de leur idéal, c'est aussi le systématisme de leur doctrine, réputée devoir s'appliquer à tous. Or, Montaigne en est convaincu, chaque individu doit pouvoir trouver lui-même la voie du bonheur qui lui convient, en fonction de ce qu'il est, de son caractère, de sa sensibilité, de sa constitution physique, de ses forces et de ses faiblesses, de ses aspirations et de ses rêves. Cette critique du *dogmatisme* des grandes écoles philosophiques, Montaigne la fonde sur un profond scepticisme hérité des Grecs, notamment du pyrrhonisme. C'est dans l'« Apologie de Raimond Sebond », le chapitre le plus long et le plus structuré des *Essais*[125], qu'il expose ses doutes sur la capacité de la raison humaine d'atteindre des vérités universelles, de pouvoir parler de Dieu ou de prétendre déchiffrer l'énigme de la nature.

Il commence par moquer la prétention humaine à s'arroger une place centrale dans la nature, et affirme que rien ne nous rend supérieurs ni même différents des animaux, si ce n'est notre orgueil : « Ce n'est par vrai discours, mais par une fierté folle et opiniâtreté que nous nous préférons aux autres animaux[126]. » Ceux qui connaissent et aiment les bêtes liront avec jubilation les nombreuses pages qu'il consacre à leur sensibilité, à leur mémoire, à leurs passions, mais aussi à leur intelligence, à leur bonté et à leur sagesse. Il s'en prend ensuite au savoir théorique et à la science, et commence par constater qu'ils ne nous sont, en vue du bonheur, d'aucune utilité : « J'ai vu en mon temps cent artisans, cent laboureurs plus sages et plus heureux que des recteurs de l'université, et lesquels j'aimerais mieux ressembler[127]. » Puis il tente de démontrer l'incapacité fondamentale de la raison humaine à appréhender Dieu, le monde, le vrai et le bien. Montaigne affirme avoir la foi et croire en Dieu, mais il est convaincu que cette foi ne peut être que le fruit d'une révélation divine dans le cœur de chaque homme. Tout ce qu'on a dit et dira de Dieu dans la métaphysique des philosophies ou dans la scolastique des théologiens, ce ne sont que de vains mots résultant de la projection sur une « puissance incompréhensible » de nos qualités et passions humaines.

Il en va de même pour les philosophes qui entendent décrypter les lois de la nature : le monde échappera toujours à notre entendement, et aucun système philosophique ne pourra rendre compte de sa complexité et de son harmonie. Au demeurant, si les grands penseurs ne cessent de se contredire sur Dieu, le monde, le Vrai et le Bien, constate-t-il, c'est que toutes ces choses demeurent inaccessibles à la raison humaine.

Faut-il pour autant renoncer à penser et à philosopher ? Non, car Montaigne refuse de s'enfermer à la manière d'un Pyrrhon dans un scepticisme absolu. Il convient, pour lui, de chercher un équilibre entre dogmatisme et scepticisme, ainsi que le philosophe Marcel Conche l'a fort bien exprimé dans son essai, *Montaigne ou la conscience heureuse* : « Avec les sceptiques, il convient de suspendre son jugement au sujet des choses elles-mêmes et de renoncer à exprimer l'être de quoi que ce soit. Avec les dogmatiques, il faut s'essayer à juger et à vivre de la vie de l'intelligence. On ne sera pas sceptique, car on se formera une opinion et on n'hésitera pas à la donner ; on ne sera pas dogmatique, car on ne prétendra pas exprimer la vérité, mais seulement ce qui, pour nous, à un moment donné, en a l'apparence[128]. »

Ce que Montaigne reproche aux philosophes, ce n'est donc pas d'exprimer leur opinion : au contraire, celle-ci nous est précieuse et nous incite à réfléchir ; c'est de prêter à leur réflexion l'apparence d'une vérité absolue. Or nous ne pouvons penser le monde, ou Dieu, qu'à partir de nous-mêmes et des contingences de nos vies. C'est pourquoi le philosophe ne peut jamais atteindre à des certitudes. Il ne peut transmettre que des *intimes convictions*. Autrement dit, une philosophie exprime d'abord et avant tout ce que voit, ressent et pense un homme dans une société donnée et à un moment précis de l'histoire. Un homme de tempérament pessimiste produira une philosophie marquée du sceau du pessimisme, tout comme un optimiste sera enclin à porter un regard optimiste sur l'homme et le monde.

L'imposture consiste à ériger sa philosophie, sa vision de l'homme, du monde ou de Dieu en système universel. Deux siècles avant Emmanuel Kant, Montaigne met à mort la métaphysique. On comprend mieux, dès lors, l'objectif poursuivi dans la rédaction des *Essais* : exprimer une pensée vivante, souple, au fil des expériences quotidiennes, subjective, aux antipodes de toute prétention dogmatique. En cela il est sans doute le premier des penseurs modernes, et Nietzsche ne s'y est pas trompé : « Qu'un homme tel que Montaigne ait écrit, véritablement la joie de vivre sur terre s'en trouve augmentée. »

S'inspirant de la célèbre confession socratique – « Tout ce que je sais, c'est que je ne sais rien » –, Montaigne a choisi pour devise « Que sais-je ? » et pour emblème une balance, symbole d'équilibre et de suspension du jugement. Rappelant que les choses « ont cent membres et visages[129] », il cherche à multiplier les points de vue, à décaler son regard, à se mettre à la place de l'autre. C'est pourquoi il aime tant observer, écouter, voyager. Ses périples et ses rencontres avec des individus de cultures et de milieux fort divers ne font que confirmer son relativisme : toute chose est perçue en fonction du point de vue de celui qui la regarde ou l'expérimente. Nos valeurs sont bonnes pour nous, mais le sont-elles pour d'autres ? Et il en va de même à l'échelle des peuples.

Montaigne a été profondément choqué par la manière dont on a traité les Indiens du Nouveau Monde. Non seulement par la violence avec laquelle on les a soumis, mais aussi par la condescendance et le mépris avec lesquels on a considéré leurs mœurs, leurs coutumes, leurs croyances et leurs rites. Quoique chrétien, Montaigne considère que la religion n'est que l'expression d'une culture, tout comme la langue ou le mode de vie : « Nous ne recevons notre religion qu'à notre façon et par nos mains, et non autrement que comme les autres religions se reçoivent. [...] Une autre région, d'autres témoins, pareilles promesses et menaces nous pourraient imprimer par même voie une créance contraire. Nous sommes Chrétiens à même titre que nous sommes ou Périgourdins ou Allemands[130]. »

Non content de souligner la relativité des valeurs et des religions, Montaigne va plus loin encore et affirme à propos des Indiens du Nouveau Monde – dont il a d'ailleurs rencontré à la Cour quelques pauvres spécimens exhibés telles des bêtes étranges – que ces « sauvages » que l'on prétend civiliser seraient plutôt aptes à nous prodiguer un enseignement. Il est frappé par leur naturel : alors que nos coutumes nous en ont progressivement éloignés, ces hommes et ces femmes vivent au plus près de la nature, ils sont simples, spontanés, vrais, et, tout compte fait, heureux. Montaigne se livre à une comparaison féroce mais juste entre les citadins européens repus, mais perpétuellement insatisfaits, et ces « sauvages » qui, vivant selon leurs seuls besoins « naturels et nécessaires » tels qu'évoqués par Épicure, sont toujours joyeux. Parlant des Brésiliens, il constate que, pour eux, « toute la journée se passe à danser » et qu'« ils sont encore en cet heureux point de ne désirer qu'autant que leurs nécessités naturelles leur ordonnent[131] ».

C'est précisément en se comparant à eux, dit-il, que nous pouvons constater à quel point, malgré l'importance de notre religion, de nos connaissances, de notre confort matériel, nous sommes « déréglés », incapables d'être heureux selon l'ordre naturel. Nous cherchons constamment notre bonheur en nous projetant dans le monde extérieur et matériel, alors qu'il ne peut être trouvé qu'en nous, dans la satisfaction profonde que nous pouvons tirer des plaisirs simples de la vie qui, pour la plupart, ne coûtent rien.

Ce qui importe, dès lors, c'est de se connaître soi-même, au sens de connaître sa propre nature : qu'est-ce qui est bon pour moi ? se demande Montaigne. Sa philosophie émerge de ce qu'il ressent, de ce qu'il voit, de ce qu'il constate et éprouve en lui-même. C'est pour cela qu'elle lui convient, mais c'est aussi pour cette raison qu'elle nous touche : il nous convie à faire de même, à réapprendre à penser à partir de nos sens, de nos expériences, de l'observation de nous-mêmes, pas seulement à partir de théories apprises (la pensée des autres), des coutumes et des préjugés de la société dans laquelle nous vivons.

Nous touchons là à un point crucial de la pensée de Montaigne : sa conception de l'éducation. Il dénonce la volonté des éducateurs de vouloir « remplir le crâne » des enfants en leur enseignant toutes sortes de connaissances qui les aideront fort peu à vivre bien. Le vrai projet éducatif devrait consister à apprendre à l'enfant à développer son *jugement*. Car la chose la plus essentielle pour mener une vie bonne, c'est de savoir discerner et bien juger. La formation du jugement est indissociable de la connaissance de soi : un éducateur doit apprendre à l'enfant à se faire un jugement sur les choses à partir de lui-même, de sa sensibilité, de son expérience propre.

Cela ne signifie pas qu'on doive renoncer à lui transmettre des valeurs essentielles à la vie en commun, comme la bonne foi, l'honnêteté, la fidélité, le respect d'autrui, la tolérance. Mais il convient d'aider l'enfant à mesurer l'importance de ces vertus à partir de son propre ressenti, de sa manière de voir. En lui apprenant à se connaître et à observer le monde avec un esprit à la fois ouvert et critique, on l'aide à se former un jugement personnel qui lui permettra de faire les choix de vie qui conviennent à sa nature. Bref, l'éducation doit apprendre à penser bien pour vivre mieux, ce qui, comme nous l'avons déjà évoqué, est la fonction principale de la philosophie telle que les Anciens l'entendaient. À une tête « bien pleine », objectif éducatif de son temps – mais que ne pourrait-on pas dire du nôtre ! –, Montaigne préfère « une tête bien faite » ; plutôt que la quantité de savoir, il privilégie la qualité du jugement : « Il fallait s'enquérir qui est mieux savant, non qui est plus savant. Nous ne travaillons qu'à remplir la mémoire, et laissons l'entendement et la conscience vides[132]. »

« Il faut étendre la joie, mais retrancher autant qu'on peut la tristesse[133] » : se trouve là résumé en une phrase le programme de vie selon Montaigne. Programme d'une apparente simplicité, à quoi nous incline spontanément notre nature, mais dont il rappelle qu'il est suivi par bien peu d'hommes dits « civilisés », lesquels ont plutôt tendance à se compliquer l'existence et à se la rendre pénible soit par une vie déréglée, esclaves de désirs jamais assouvis, soit inversement en laissant une conscience morale et religieuse pervertie les charger de fardeaux trop lourds à porter.

Pour accroître la joie et atténuer la tristesse, deux conditions sont à réunir : apprendre à se connaître et à régler son jugement afin de discerner ce qui est le mieux pour soi-même, sans pour autant faire de tort à autrui. En bon épicurien, Montaigne s'attache à être le plus heureux possible (selon sa nature) en goûtant tous les bons plaisirs que lui dispense quotidiennement la vie : promenade à cheval, dégustation d'un mets savoureux, échange amical, etc. Mais il insiste sur deux points déjà évoqués : la nécessité d'avoir conscience de son bonheur, de prendre le temps de l'apprécier, d'en jouir le plus intensément possible, et la qualité d'attention que nous devons porter à chacune de nos expériences : « Quand je danse, je danse ; quand je dors, je dors[134]. »

Tout autant qu'il savoure les plaisirs de l'existence, Montaigne s'efforce autant que faire se peut d'en éviter les peines. Il fuit toutes les souffrances évitables et cherche, on l'a vu, les compromis qui simplifient la vie sociale et la rendent plus aimable, plutôt que d'attiser les divisions et d'envenimer les problèmes au nom de grands principes ou de passions politiques.

Dans sa vie privée, lui-même a parfois été durement éprouvé. Face aux épreuves liées à la santé, il prône une sagesse toute stoïcienne de l'acceptation, et, puisqu'il considère que la maladie fait partie de l'ordre naturel des choses, il recommande de laisser le corps faire lui-même son œuvre de réparation et d'éviter de se soigner par d'autres moyens que ceux que propose la nature. Il faut dire aussi que la médecine de son époque était assez peu recommandable... Il a perdu cinq de ses six enfants, « sinon sans regret, au moins sans fâcherie[135] » affirme-t-il sans sourciller, car, là encore, il considère que ces deuils entrent dans l'ordre naturel des choses, qu'il ne sert à rien de s'apitoyer.

C'est aussi la raison pour laquelle il condamne toute idée de « sacrifice » et se refuse à partager la souffrance d'autrui. Il y a assez de souffrance comme ça, dit-il, pour ne pas ajouter la sienne à celle des autres. Aider les autres, oui, mais pas au détriment de soi. Agir avec courage, mais ne jamais surestimer ses forces.

Toute la sagesse de Montaigne se résume à une sorte de grand « oui » sacré à la vie. Connaître et accepter sa nature propre pour apprendre à jouir au mieux de la vie. Esquiver toute souffrance évitable, et supporter avec patience les épreuves inévitables tout en continuant à essayer de jouir de ce qui nous contente. Compenser la brièveté de l'existence par la qualité et l'intensité de nos expériences. Il n'y a d'ailleurs qu'ainsi que nous pourrons affronter la mort sans regrets. « Principalement à cette heure, écrit-il à la fin des *Essais*, que j'aperçois la mienne [de vie] si brève en temps, je la veux étendre en poids ; je veux arrêter la promptitude de sa fuite par la promptitude de ma saisie, et par la vigueur de l'usage compenser la hâtiveté de son écoulement ; à mesure que la possession du vivre est plus courte, il me la faut rendre plus profonde et plus pleine. [...] Pour moi, donc, j'aime la vie et la cultive telle qu'il a plu à Dieu nous l'octroyer[136]. »

Environ deux mille ans plus tôt, on a vu naître et se développer en Chine un courant philosophique qui présente d'étonnantes similitudes avec la pensée de notre sage périgourdin : le taoïsme. À l'origine de ce courant, deux personnages et deux brefs ouvrages : Lao-tseu, qui passe pour être l'auteur du *Tao-tê-*

king, et Tchouang-tseu, auteur d'un livre portant son nom[137].

Selon la légende, Lao-tseu aurait vécu vers les VIe-Ve siècles avant notre ère et aurait donc été le contemporain de Confucius. Archiviste à la cour du Royaume de Tch'ou, il aurait quitté le pays lors de troubles politiques et, passant la frontière, le gardien de la passe de Han Kou lui aurait demandé de laisser un écrit. C'est alors qu'il aurait rédigé le *Tao-tê-king*, que l'on traduit communément par *La Voie et sa vertu*. Composé de quatre-vingt-un brefs chapitres rythmés et rimés, le livre est d'une extraordinaire profondeur et saveur poétique et constitue sans conteste l'un des plus grands textes de la littérature mondiale. La plupart des historiens actuels soulignent toutefois que l'existence historique de Lao-tseu n'est pas attestée et qu'il est probable que l'ouvrage ait été composé quelques siècles plus tard et par plusieurs auteurs.

L'existence de Tchouang-tseu, qui aurait vécu à la fin du IVe siècle, est en revanche quasi certaine. Le livre qui lui est attribué et qui porte son nom est d'un tout autre genre littéraire, qui laisse transparaître la personnalité de son auteur : ironique, sceptique, facétieux, libertaire. Plus imposant, l'ouvrage est tissé de contes, d'anecdotes, de paraboles, d'historiettes, de dialogues savoureux, toujours d'une rare profondeur philosophique. Dans sa forme déjà, il fait incontestablement penser aux *Essais* de Montaigne, même s'il est probable que l'ouvrage a été complété au fil des siècles par des disciples.

Du bonheur

Originaire du royaume méridional du Tch'ou, Tchouang-tseu aurait, comme Montaigne, occupé une fonction administrative avant de se retirer du monde pour écrire. L'un et l'autre manifestent d'ailleurs une grande méfiance envers ceux qui entendent changer le monde par l'action politique. Leur scepticisme et leur conception cyclique de l'histoire les amènent plutôt à considérer qu'il est plus important de se connaître et de se transformer soi-même que de vouloir transformer le monde et la société. Le *Tchouang-tseu* nous rapporte ainsi cette anecdote qui en dit long sur le style du personnage : « Alors que Tchouang-tseu pêchait à la ligne dans la rivière P'ou, le roi de Tch'ou envoya deux de ses émissaires pour lui faire des avances. "Notre prince, lui dirent-ils, désirerait vous confier la charge de son territoire." Sans relever sa ligne, sans même tourner la tête, Tchouang-tseu leur dit : "J'ai entendu dire qu'il y a à Tch'ou une tortue sacrée, morte depuis trois mille ans. Votre roi conserve sa carapace dans un panier enveloppé d'un linge, dans le haut du temple de ses ancêtres. Dites-moi si cette tortue aurait préféré vivre en traînant sa queue dans la boue ? – Elle aurait préféré vivre en traînant sa queue dans la boue, répondirent les deux émissaires. – Allez-vous-en ! dit Tchouang-tseu, je préfère moi aussi traîner ma queue dans la boue[138]." »

Autre similitude significative avec Montaigne : le taoïsme est né dans un contexte de luttes politiques violentes, celui des Royaumes combattants qui précéda l'unification de l'Empire chinois en 221 avant notre ère (lequel perdurera jusqu'en 1911 !). C'est donc dans cette période de troubles que les premiers grands penseurs chinois tentent d'apporter une réponse à une crise politique et sociale profonde. Tandis que Confucius propose une voie rituelle respectueuse de la tradition, qui encourage l'engagement politique en vue de créer un homme et une société vertueux, Lao-tseu et Tchouang-tseu prônent une voie radicalement inverse : celle d'un retrait des affaires du monde, d'un perfectionnement individuel guidé par l'observation de la nature, en suivant sa propre nature.

Certes, les philosophes confucéens proposent aussi la nature comme modèle de sagesse, mais ils ne la regardent pas sous le même angle que les taoïstes : ils prônent une sagesse humaine calquée sur l'ordre céleste parfait, immuable, dont l'empereur serait le centre et le modèle suprême sur terre. Les taoïstes, quant à eux, regardent la nature vivante, mobile, diverse, apparemment chaotique de la terre, et proposent une sagesse de la fluidité, de la souplesse, du mouvement, de la spontanéité, qui vise à entrer en harmonie non pas avec un ordre cosmique immuable, mais avec le foisonnement même de la vie. Si Confucius veut développer la civilisation en instaurant un ordre moral stable, c'est précisément ce que lui reprochent Lao-tseu et surtout Tchouang-tseu qui prônent, comme Montaigne, un homme libéré des artifices de la culture et des coutumes, fidèle à la spontanéité de sa propre nature, un homme à l'écoute de son être profond, singulier, qui aspire à vivre en profonde harmonie avec la nature indéchiffrable et toujours en mouvement.

Avant de développer les grands traits de la sagesse taoïste, un mot encore sur ses soubassements philosophiques et cosmologiques. Le mot « Tao » est assez proche du concept bouddhiste de *dharma* et signifie « chemin », « voie ». Mais il désigne également le principe fondamental, la source, l'origine, la racine du monde. C'est lui qui ordonne l'univers et maintient l'harmonie cosmique. Le Tao est indéfinissable et échappe à l'entendement. Aucun vocable, aucune notion ne peut le contenir, ainsi que l'exprime poétiquement Lao-tseu :

Ce n'est pas ton œil qui pourrait le voir
Son nom est sans forme
Ce n'est pas ton ouïe qui pourrait l'entendre
Son nom est sans bruit
Ce n'est pas ta main qui pourrait le prendre
Son nom est sans corps
Triple qualité insondable
Et qui se fond dans l'unité[139].

Le Tao recouvre explicitement aussi une idée d'écoulement, de flux, il évoque la nature en mutation permanente. Sa face tangible est le Taiji, l'univers tel que nous le percevons, un grand organisme vivant réglé par une loi de causalité universelle. Tout est interdépendant, chaque être est une parcelle de ce cosmos vivant et est relié à tous les autres êtres. La médecine chinoise repose sur cette conception d'un monde où macrocosme et microcosme sont en correspondance.

Ce flux permanent de la vie cosmique est traversé par deux forces contraires : le yin et le yang. Le yang exprime la dimension masculine active qui jaillit, sépare, organise, conquiert. Le yin exprime le principe féminin passif qui accueille, unit, dilue, apaise. Le yang est lumière, émergence de vie, feu, soleil, jour. Le yin est ombre, disparition/mutation de vie, froid, lune, nuit. Il ne faut pas les concevoir comme deux forces antagonistes, mais comme deux polarités complémentaires et indissociables. Ils s'expriment sous forme d'un processus : toute vie se manifeste et s'écoule de manière dynamique à travers cette dialectique du yin et du yang.

À la différence de l'intellectualisme confucéen, le taoïsme récuse toute possibilité de système de connaissance : sa philosophie est marquée au sceau du scepticisme. Tchouang-tseu est le grand « déconstructeur » : avant Montaigne, il tourne en dérision les écoles philosophiques qui prétendent dire le vrai et multiplient les dialogues de sourds. Il rejette toute idée de vérité univoque et ne cesse de rappeler la nécessité de sortir de la logique binaire, celle du tiers exclu (une chose est ou vraie ou fausse, c'est ceci *ou* cela). Pour lui, au contraire, une chose peut être ceci *et* cela. C'est la raison pour laquelle, loin d'être démonstratif, son raisonnement est circulaire, il procède par un décalage permanent du regard, par l'adoption successive de points de vue contradictoires. Aussi aime-t-il exprimer sa pensée par la bouche de marginaux, d'ivrognes, de gens simples ou « déraisonnables », à même d'exprimer des vérités plus profondes et paradoxales que celles des intellectuels.

Mais, tout comme le fera Montaigne, il sait aussi affirmer, trancher, donner son point de vue. Aux certitudes dogmatiques, il oppose ses intimes convictions tout en sachant qu'elles sont toujours provisoires et contestables. Il ne dit pas : « Je ne sais rien », mais : « Sais-je quelque chose ? »

Le scepticisme de Tchouang-tseu s'exprime notamment dans sa déconstruction du langage : les mots disent très imparfaitement la profondeur, la richesse mouvante et foisonnante du réel et de la vie. Ils figent la réalité en recouvrant un point de vue culturel déterminé, et il convient donc de s'en méfier, de les relativiser, voire d'en rire. Tchouang-tseu invente à cette fin des formules ou des histoires apparemment absurdes qui visent à déstabiliser la raison logique. En cela, et plusieurs siècles avant l'introduction du bouddhisme en Chine et au Japon, il est véritablement le précurseur des fameux *koan* du bouddhisme zen.

Pour ne pas se laisser enfermer dans l'usage conventionnel du langage et dans les postures intellectuelles et culturelles qui l'accompagnent – activisme, volontarisme, croyance en une suprématie humaine au sein de la nature –, il convient de revenir à l'observation, au ressenti, à l'expérience, de se mettre humblement à l'écoute de la vie, de la « mélodie secrète » de l'univers qui nous relie au monde par le cœur et par l'intuition. D'où l'intérêt que porte Tchouang-tseu aux artisans qui exercent leur métier avec précision et efficacité sans faire usage de la pensée : la main fait ce que l'intellect ne peut dire. Il cite l'exemple d'un boucher qui raconte comment il est parvenu, au fil des ans et grâce à son expérience, à découper un bœuf avec une incroyable dextérité, sans même émousser la lame de son couteau. Cet entraînement, qui consiste à bien repérer les articulations de l'animal, lui a permis d'acquérir un savoir-faire sans nul recours aux mots ni aux concepts[140]. Il devrait en aller ainsi pour chacun : apprendre à vivre non par l'apprentissage d'un savoir théorique, mais par l'expérience de la vie, par l'entraînement du corps et de l'esprit, afin d'acquérir une sagesse pratique. Là encore, nous voyons que Tchouang-tseu préfigure Montaigne dans ses principes éducatifs en insistant sur la nécessité, pour l'homme, de retrouver le naturel, le spontané, l'élan vital, ce que l'éducation et la coutume tendent à étouffer alors que c'est le plus important.

Nous accédons ici au cœur de l'enseignement des sages taoïstes : la doctrine du *non-agir*. Alors qu'on nous enseigne à transformer le monde et à agir sur lui par la force de notre volonté, Lao-tseu et Tchouang-tseu prônent une sagesse de l'accueil, de la réceptivité, de l'abandon, de la fluidité, du non-vouloir.

Quiconque veut s'emparer du monde et s'en servir court à l'échec
Le monde est un vase sacré
Qui ne supporte pas qu'on s'en empare et qu'on s'en serve
Qui s'en sert le détruit
Qui s'en empare le perd[141]
[...]
La voie n'agit jamais, or tout est fait par elle[142].

Il ne s'agit pas là de passivité, mais de lâcher-prise. Ces préceptes n'incitent pas au fatalisme, mais à l'observation, à la patience, à la souplesse dans la réaction comme dans l'action. Il ne faut pas « forcer » les choses, mais les accompagner. L'exemple du nageur est souvent évoqué par Tchouang-tseu : il progresse non pas en imposant sa volonté à la force de la vague ou du courant, mais en accompagnant son flux : « Je descends avec les tourbillons et remonte avec les remous. J'obéis au mouvement de l'eau, non à ma propre volonté. C'est ainsi que j'arrive à nager si aisément dans l'eau[143]. »

Cette allégorie me fait penser à celle, utilisée par Montaigne, du cavalier qui accompagne le mouvement de sa monture. Antoine Compagnon l'a bien résumé : « Une image dit son rapport au monde : celle de l'équitation, du cheval sur lequel le cavalier garde son équilibre, son assiette précaire. L'assiette, voilà le mot prononcé. Le monde bouge, je bouge : à moi de trouver mon assiette dans le monde[144]. » Tchouang-tseu aimait à nager, mais nul doute que, s'il avait été cavalier, il eût aussi bien utilisé cette image qui exprime on ne peut mieux le rapport qu'il convient d'avoir au mouvement permanent du monde. Il entend aussi montrer que ce sont les préjugés intellectuels et toutes les expressions de notre ego – la peur, l'appréhension, le désir de réussir, la comparaison – qui nous rendent malheureux et perturbent la fluidité de la vie. Une fois ces écrans dissipés, nous pouvons nous ajuster de manière naturelle et juste au flux de la vie et du monde.

Pour mieux faire prévaloir cette philosophie du « non-agir », Lao-tseu et Tchouang-tseu prennent le contrepied des valeurs sociales dominantes en affirmant la suprématie du faible sur le fort. Lao-tseu exprime cette idée en recourant à la métaphore de l'eau :

Rien n'est plus souple au monde et plus faible que l'eau
Mais pour entamer dur et fort rien ne la passe
Rien ne saurait prendre sa place
Que faiblesse prime force
Et faiblesse dureté
Nul sous le Ciel qui ne le sache
Nul qui le puisse pratiquer
Aussi le Sage :
Subir les souillures du royaume
C'est être le seigneur des temples de la Terre
Endurer les maux du royaume
C'est être le roi de l'univers
Car le vrai a le son du faux[145].

Une autre image fréquemment utilisée est celle de l'enfant, totalement incapable d'agir et qui, pourtant, par sa seule présence, met en mouvement les adultes. Il est le centre de la famille. Il agit sans agir. Aussi le sage ne doit-il pas avoir comme modèle l'homme mûr, mis en avant par Confucius, mais le petit enfant, ainsi que l'écrit Lao-tseu :

Fais-toi Ravin du monde
Être Ravin du monde
C'est faire corps avec la vertu immuable
C'est retourner à la petite enfance[146].

Du bonheur

De son côté, Tchouang-tseu nous rapporte ce bref dialogue : « Nan-Po demanda à Niu-Yu : "Malgré votre grand âge, vous avez conservé le teint d'un petit enfant. Pourquoi ? – C'est, dit Niu-Yu, que j'ai entendu le Tao." »

La sagesse du « non-agir » conduit au *détachement*, c'est-à-dire à une profonde acceptation de la vie et de ses lois : la naissance, la croissance, le déclin, la mort. Si le sage n'a pas peur de la mort, c'est qu'il la considère comme faisant partie des rythmes naturels de la vie. C'est ainsi qu'il manifeste face à la mort de ses proches un détachement qui risque de choquer son entourage.

Le *Tchouang-tseu* raconte cette histoire : « La femme de Tchouang-tseu étant morte, Houei-tseu s'en fut lui offrir ses condoléances. Il trouva Tchouang-tseu assis les jambes écartées en forme de van et chantant en battant la mesure sur une écuelle. Houei-tseu lui dit : "Que vous ne pleuriez pas la mort de celle qui fut la compagne de votre vie et qui éleva vos enfants, c'est déjà assez, mais que vous chantiez en battant l'écuelle, c'est trop fort ! – Du tout, dit Tchouang-tseu. Au moment de sa mort, je fus naturellement affecté un instant, mais, réfléchissant sur le commencement, je découvris qu'à l'origine elle n'avait pas de vie ; non seulement elle n'avait pas de vie, mais pas même de forme ; non seulement pas de forme, mais pas même de souffle. Quelque chose de fuyant et d'insaisissable se transforme en souffle, le souffle en forme, la forme en vie, et maintenant voici que la vie se transforme en mort. Tout cela ressemble à la succession du printemps, de l'été, de l'automne et de l'hiver. En ce moment, ma femme est couchée tranquillement dans la Grande Demeure. Si je me lamentais en sanglotant bruyamment, cela signifierait que je ne comprends pas le cours du Destin. C'est pourquoi je m'abstiens[147]." »

On ne peut là encore s'empêcher de penser à Montaigne qui affirmera n'avoir éprouvé « aucune fâcherie » à la mort de ses cinq enfants. L'un et l'autre enseignent une profonde acceptation de la vie telle qu'elle est, et non pas telle qu'on aimerait qu'elle soit avec notre volonté propre. Aussi ne sommes-nous pas étonnés de retrouver, chez l'un comme chez l'autre, cette joie profonde qui anime celui qui a appris à aimer la vie et à l'accueillir à cœur ouvert. Le sage taoïste est un homme joyeux. Il vit ici et maintenant, sans ruminer le passé ni se soucier du futur, dans la pleine acceptation et jouissance du moment présent. Sa joie vient du non-agir, de ce qu'il a su se fondre dans le flux du Tao et de la vie pour accomplir sa nature en harmonie profonde avec la nature. « Un sage authentique respire jusqu'aux pieds », nous dit Tchouang-tseu, parce qu'il s'unit de tout son être au souffle joyeux du monde : « Les mouvements de son cœur s'accordent toujours avec les êtres et les situations. » Il s'accorde aussi avec « ce qui vient avant le naître et le périr ». Le sage authentique est libre et joyeux : « Il danse avec le monde ; il est immortel. » Il est dépourvu de « tout penchant personnel », au sens où « il s'abandonne entièrement aux rythmes spontanés de la vie et n'en rajoute jamais[148] ».

La joie du sage vient du fait qu'il a renoncé à tout ce qui le sépare du souffle et de l'harmonie du Tao.

C'est en renonçant à son ego qu'il devient pleinement lui-même et pleinement homme. Tels sont les paradoxes de la sagesse taoïste : c'est en s'oubliant qu'on se trouve, en refusant d'agir qu'on exerce une influence, en redevenant enfant qu'on accède à la sagesse, en acceptant sa faiblesse qu'on devient fort, en regardant la Terre qu'on découvre le Ciel, en aimant pleinement la vie qu'on peut accepter sereinement la mort.

Comment, une dernière fois, ne pas songer ici à Montaigne ? On retrouvera chez lui, comme chez Tchouang-tseu, cet amour de la vie et cette joyeuse acceptation du destin fondée sur une religiosité profonde. Peu importe que l'un fasse référence à Dieu et l'autre au Tao. Quoique lui-même athée, Marcel Conche a écrit à propos de Montaigne ces lignes qui sonnent tout aussi juste pour Tchouang-tseu et disent si bien la racine ultime du bonheur joyeux de ces deux sceptiques, si sensibles à la dimension sacrée de la vie :

Nous n'avons pas à regarder vers qui dispense. Ce serait indiscrétion de vouloir surprendre le geste du donneur. Baissons les yeux. Le soleil absolu d'où tout rayonne n'est pas pour être vu de nous. Contentons-nous du rayonnement sans prétendre scruter la source. La vraie façon de regarder vers Dieu est de regarder vers le monde et de l'accueillir comme un don. [...] Le consentement à jouir enferme la véritable humilité. L'acte de jouissance est la véritable action de grâces s'il s'accompagne d'humilité et de reconnaissance. C'est l'acte religieux par excellence, acte de communion avec la puissance insondable, inscrutable, mais inlassablement généreuse qui est nature et source de la nature. Il faut jouir religieusement, c'est-à-dire dans le respect de ce qui est joui, la ferveur, l'attention sérieuse, la conscience du mystère[149].

Et dans un grand éclat de rire !

21

La joie de Spinoza et de Mâ Anandamayî

> *La joie est le passage de l'homme d'une moindre à une plus grande perfection*[150].
>
> BARUCH SPINOZA

Le 27 juillet 1656 se déroule dans la synagogue d'Amsterdam une cérémonie d'une rare violence : les anciens prononcent un *herem*, acte solennel de bannissement, envers un jeune homme de vingt-trois ans, accusé d'hérésie : « Avec le jugement des anges et des saints, nous excommunions, excluons, maudissons et anathémisons Baruch de Espinosa. [...] Qu'il soit maudit le jour et maudit la nuit. Qu'il soit maudit dans son sommeil et maudit éveillé. Qu'il soit maudit dehors et maudit dedans. Que le Seigneur ne pardonne pas. Que le courroux et la fureur du Seigneur tombent dorénavant sur cet homme et fasse retomber sur lui toutes les malédictions qui sont écrites dans le livre de la Loi. Que le Seigneur détruise son nom sous le soleil[151]. »

Non seulement le jeune Baruch Spinoza ne fut accablé d'aucune malédiction céleste, mais son nom brille aujourd'hui au firmament de la pensée humaine : « Tout philosophe a deux philosophies : la sienne et celle de Spinoza », dira Bergson trois siècles plus tard. Il n'en demeure pas moins que cette terrible sanction équivaut à un bannissement pour ce jeune fils de marchand portugais dont la famille avait déjà dû fuir l'Inquisition pour trouver refuge à Amsterdam, dans une petite République calviniste tolérant la présence d'une importante communauté juive. Le jeune Bento, dont le nom avait été judaïsé en celui de Baruch, change une nouvelle fois de prénom après son exclusion : il adopte le nom chrétien de Benedictus. Il ne se convertit pas pour autant au christianisme, même s'il admire le Christ et que la plupart de ses amis sont des fidèles ouverts aux « idées nouvelles » : celles de Descartes, de Galilée ou de Locke, qui bousculent l'ancien monde fondé sur la vérité de la Bible et la scholastique thomiste. Il choisit désormais la langue latine pour composer une œuvre philosophique tournée vers la béatitude, le bonheur suprême. Ses trois prénoms successifs ne signifient-ils pas tous « bienheureux » ?

Cette quête du bonheur, c'est par un mode de vie très sobre que la mène Spinoza. Non seulement il renonce à son héritage paternel, mais il refuse aussi d'hériter de riches amis, acceptant juste une modeste rente qui vient compléter ses revenus de fabricant de lentilles optiques. Il est piquant de penser que celui qui va tenter d'aiguiser autant que possible le discernement de l'esprit a choisi un métier consistant à améliorer les facultés visuelles ! Le philosophe choisit aussi de ne pas fonder de famille et vivra jusqu'à sa mort entouré d'amis et de disciples, dans des chambres louées dans diverses villes hollandaises. Dans une seule pièce, parfois deux petites pièces, se trouvent ses livres, sa table d'écriture, son atelier d'optique et le seul objet auquel il tient : le lit à baldaquin dans lequel il fut conçu, dans lequel il mourra et où il aura dormi sa vie durant après le décès de ses parents. Ce lit constituait sans doute un symbole de continuité au sein d'une existence déchirée, sans cesse menacée. Même publiés sous couvert de l'anonymat, ses livres étaient interdits par la censure. Tous savaient pourtant qui était l'auteur du fameux *Tractatus theologico-politicus* opérant une radicale déconstruction rationaliste de la Bible et prônant l'édification d'un État laïque qui garantisse la liberté d'expression religieuse et politique. Malgré les menaces qui pesaient sur lui et allèrent jusqu'à la tentative d'assassinat, Spinoza était lu sous le manteau et admiré par toute l'Europe intellectuelle. Il refusa plusieurs offres de prestigieuses universités, et même une invitation de Louis XIV à venir enseigner à Paris où il aurait bénéficié d'une confortable rente. Il savait qu'en acceptant il perdrait sa liberté de pensée et préféra mener jusqu'au bout sa modeste activité de polisseur de verres.

De santé fragile, il peine à achever son grand œuvre, l'*Éthique*, véritable traité du bonheur, visant à rien de moins que procurer le salut, c'est-à-dire la béatitude et la liberté suprême, en ce monde, par les seuls efforts de la raison. Peu de temps avant de mourir, il demande à un ami de lui fournir un tonneau de bière et de la confiture de roses pour sa convalescence, ce qui montre que son choix d'une vie sobre n'était pas celui d'un ascétisme total, comme d'aucuns ont parfois pu le penser. Vraisemblablement atteint de la tuberculose, il meurt seul dans sa chambre, le 21 février 1677, à l'âge de quarante-quatre ans. Son médecin et ami arrive peu après et repart avec ses précieux manuscrits. C'est ainsi que l'*Éthique* est publiée six mois plus tard, grâce à un don anonyme, dans un volume d'*Œuvres posthumes* qui est immédiatement censuré.

La question de Dieu y occupe la première partie ; celle de l'âme, la deuxième ; celle des affects, la troisième. La quatrième est consacrée à la servitude que produisent les affects, la cinquième à la liberté et à la béatitude. À première vue, on peut se demander ce que les autorités religieuses et politiques avaient tant à redouter d'un tel ouvrage. De plus, écrit sèchement, construit de manière géométrique – avec des définitions, des axiomes, des propositions, des démonstrations, des scolies et des corollaires –, l'ouvrage est d'un abord difficile et exigeant. Pourtant, derrière cette aridité et le caractère pesant d'un système métaphysique clos que Montaigne aurait honni (tout s'enchaîne de manière logique à partir de définitions et d'axiomes qu'il convient d'accepter), sa lecture attentive révèle une pensée aussi révolutionnaire que lumineuse. Rencontrer Spinoza peut changer une vie.

On n'a cessé de s'interroger sur les raisons qui poussèrent Spinoza à bâtir son *Éthique* sur un mode géométrique. On peut y voir une tendance de l'époque à laquelle Descartes succomba lui aussi, qui donnait une apparence de rigueur scientifique à une pensée métaphysique – mais aussi un « style de persécution », comme l'a montré Léo Strauss, ce que confirme la devise latine et le sceau choisis par Spinoza : *Caute*, sois prudent ! Sans nécessairement partager l'ironie cinglante de Jean-François Revel pour qui « il n'y a dans cet habillage extérieur guère plus de nécessité que dans le jeu qui consisterait à présenter un traité de gastronomie sous la forme d'un code pénal[152] », on peut en effet estimer que Spinoza aurait choisi un autre mode d'expression s'il avait écrit sous un régime de complète liberté d'expression.

Soulignons encore une autre difficulté : Spinoza utilise le vocabulaire de la métaphysique de son temps – Dieu, substance, mode, attribut, essence, existence, âme, etc. – tel qu'on le retrouve chez Descartes, Leibniz ou Malebranche, mais il prête parfois un sens nouveau aux mots qu'il utilise. Il en va ainsi pour « Dieu » qu'il identifie à la nature, ce qui marque une profonde rupture avec la tradition métaphysique occidentale et fait de lui un penseur « athée » au sens strict du terme, comme on le verra plus tard.

Revenons à la question du bonheur, qui nous préoccupe et est l'objectif principal de son *Éthique* : tout son système, qui commence par définir le Dieu-Nature, s'attache ensuite à définir l'être humain afin de fonder une éthique-sagesse, c'est-à-dire une voie rationnelle visant à conduire l'homme à la béatitude et à la liberté totale.

L'un des aspects les plus modernes de sa pensée – qui a attiré l'attention de nombreux biologistes et neurologues – concerne la place centrale qu'occupent ce qu'il appelle les « affects », ce qu'on désignerait aujourd'hui par les émotions, les sentiments et les désirs. Spinoza est un extraordinaire observateur de la nature humaine. La manière dont il décrit chaque affect et ses interrelations avec les autres est d'une pertinence étonnante : la joie, la tristesse, l'amour, la colère, l'envie, l'ambition, l'orgueil, la miséricorde, la peur, la haine, le mépris, la générosité, l'espoir, la crainte, la surestimation et la mésestimation de soi, le contentement, l'indignation, l'humilité, le repentir, la mélancolie, etc. Bien avant Schopenhauer et Freud, il a compris que l'être humain est essentiellement mû par ses affects.

À une époque où on privilégiait la connaissance de l'âme, l'éventail des vertus et des vices, pour accéder à la plénitude spirituelle, Spinoza montre que le voyage vers la liberté et le bonheur commence plutôt par une exploration en profondeur de nos désirs et de nos émotions. S'il insiste autant sur cette question, c'est, explique-t-il, pour nous affranchir d'une cruelle illusion : celle du libre arbitre. Non que Spinoza récuse toute idée de liberté, mais celle-ci, contrairement à la conscience que nous en avons, ne réside pas dans notre volonté, toujours influencée par une cause extérieure. Soumis à une loi universelle de causalité (on retrouve ici un concept fondamental commun au bouddhisme et au stoïcisme), l'homme ne peut se départir de sa servitude intérieure qu'avec l'aide de la raison, après un long travail de connaissance de soi qui lui permet de ne plus être mû inconsciemment par ses affects et par des idées inadéquates. L'homme ne naît pas libre, il le devient : l'*Éthique* vise à le doter d'une méthode visant à accéder à cette liberté joyeuse que Spinoza considère comme un véritable *salut*, une libération : « J'appelle servitude l'impuissance de l'homme à gouverner et à réduire ses affects ; soumis aux affects, en effet, l'homme ne relève pas de lui-même, mais de la fortune, dont le pouvoir est tel sur lui que souvent il est contraint, voyant le meilleur, de faire le pire[153]. »

Il convient donc de comprendre l'enchaînement des causes et des effets qui conditionne nos pensées, nos désirs, nos sentiments. Pour ce faire, Spinoza étudie l'être humain comme un animal soumis aux lois universelles de la nature et critique vivement ceux, tel Descartes, « qui conçoivent l'homme dans la nature comme un empire dans un empire[154] ». Évitant toute idée préconçue d'une quelconque « spécificité » de l'être humain – en cela, il se situe dans la continuité de Montaigne –, Spinoza entend montrer que tous les êtres vivants doivent être étudiés et distingués en fonction des affects dont ils sont capables (c'est précisément le projet de l'éthologie contemporaine). À cette fin, Spinoza se libère du dualisme chrétien et cartésien, qui dissocie radicalement l'âme et le corps en établissant une prééminence de la première, considérée comme immortelle, sur le second. Pour lui, si on peut distinguer abstraitement l'âme du corps, les deux sont indissociables dans la vie concrète et fonctionnent en parallèle, sans supériorité de l'une sur l'autre. Le mot « âme » (*anima*), lesté de théologie et de métaphysique, est d'ailleurs rarement employé par Spinoza qui lui préfère le mot esprit (*mens*). Contrairement à Descartes, il ne considère pas le corps et l'esprit comme deux substances différentes, mais comme une seule et même réalité qui s'exprime selon deux *modes* différents : le corps est un « mode de l'étendue », l'esprit un « mode de la pensée[155] ».

Une fois ce point clarifié, Spinoza montre que « chaque chose, suivant sa puissance d'être, s'efforce de persévérer dans son être[156] ». Cet effort (*conatus* en latin) est une loi universelle de la vie, ce que confirmera d'ailleurs la biologie moderne : « L'organisme vivant est construit de telle sorte qu'il préserve la cohérence de ses structures et de ses fonctions contre les nombreux aléas menaçants de la vie », ainsi que le souligne le célèbre neurologue et fervent lecteur de Spinoza, Antonio Damasio[157].

Tout aussi naturellement, souligne encore Spinoza, chaque organisme s'efforce sans cesse de parvenir à une plus grande perfection, à une *augmentation de sa puissance*. Or il ne cesse de rencontrer des corps extérieurs qu'il affecte ou qui l'affectent. Lorsque cette rencontre, lorsque cette « affection » augmente sa puissance d'agir, il en résulte un sentiment de *joie*. À l'inverse, le passage à une moindre perfection, la diminution de la puissance d'agir suscitent un sentiment de *tristesse*.

Joie et tristesse sont donc les deux affects, les deux sentiments fondamentaux de tout être sensible. Et ils demeurent totalement tributaires des causes extérieures qui les produisent. C'est à partir de ces deux affects que Spinoza explique les autres sentiments : l'amour, par exemple, est défini comme « une joie qu'accompagne l'idée d'une cause extérieure[158] », c'est-à-dire que l'affect de joie se retourne sur l'idée d'où il procède comme, à l'inverse, la haine naît de l'idée d'où procède le sentiment de tristesse. Celui qui aime s'efforce d'avoir présente et de conserver la chose ou la personne qu'il aime, tout comme celui qui hait s'efforce d'écarter et de détruire la chose ou la personne qu'il a en aversion.

Tous nos affects, précise Spinoza, sont le fruit de notre nature propre, de notre être et de notre puissance d'agir spécifique. La rencontre avec tel être ou telle chose peut être profitable ou nuisible aux deux, ou profitable à l'un et nuisible à l'autre. Ce qui compte, c'est de discerner ce qui nous convient à nous, ce qui accroît notre puissance d'agir et donc notre joie, et, à l'inverse, ce qui la diminue et produit de la tristesse sous quelque forme que ce soit.

Montaigne, cette fois encore, aurait jubilé ! Rien n'est en effet plus absurde, pour Spinoza, que l'idée de règles d'action ou de comportement universelles (hormis celles, évidemment, des lois de la cité). Chacun doit apprendre à se connaître pour découvrir ce qui le rend heureux ou malheureux, ce qui lui est approprié ou non, ce qui augmente sa joie et diminue sa tristesse. Spinoza utilise la métaphore du poison pour faire comprendre que tout se joue à un stade essentiellement biologique : il y a des corps, des choses, des êtres qui empoisonnent notre organisme, comme il en est d'autres qui contribuent à sa croissance et à son épanouissement. Si nous acceptons d'ingurgiter du poison, c'est que notre esprit est pollué par toutes sortes d'idées inadéquates, erronées, qui nous font croire – sous l'influence de certains affects, de notre imagination ou d'une morale extérieure – que ce qui nous empoisonne, *de fait*, est bon pour nous. D'où la nécessité d'accéder à une connaissance vraie de *ce que nous sommes* pour savoir ce qui nous convient, mais aussi de renoncer à suivre une morale extérieure, dogmatique, transcendante, prétendument valable pour tous.

Bien avant Nietzsche – c'est une des nombreuses raisons de la profonde admiration de ce dernier pour le philosophe hollandais –, Spinoza propose une vision amorale du monde, au-delà du Bien et du Mal. Il remplace les catégories religieuses ou métaphysiques du Bien et du Mal par celles du *bon* et du *mauvais* : « Nous appelons bon ou mauvais ce qui est utile ou nuisible à la conservation de notre être[159]. » Le bon, pour nous, c'est lorsqu'un corps étranger s'harmonise bien avec le nôtre et augmente sa puissance, donc notre joie. Le mauvais, c'est lorsqu'un corps inapproprié au nôtre nous empoisonne, nous intoxique, nous rend malade, diminue notre puissance d'agir et donc produit en nous de la tristesse.

Dans un premier sens, le bon et le mauvais qualifient ainsi de manière relative ce qui convient ou ne convient pas à notre nature. Mais, dans un sens plus large, Spinoza qualifie de « bon » un mode d'existence raisonnable et ferme qui s'efforce d'organiser notre vie en fonction de ce qui nous fait grandir, convient à notre nature, nous rend plus heureux et joyeux, et de « mauvais » un mode d'existence désordonné, insensé, faible, qui nous fait nous unir à des choses ou à des personnes qui contreviennent à notre nature, diminuent notre puissance et finissent par nous plonger dans la tristesse et le malheur.

Ailleurs que dans l'*Éthique*[160], Spinoza donne une lecture originale de la fameuse « faute » d'Adam, qui a chuté après avoir mangé du fruit de l'Arbre malgré l'avertissement divin. Ce qu'Adam prend comme une interdiction morale n'est en fait qu'un conseil divin destiné à le prémunir contre la tentation de manger un fruit qui l'empoisonnera parce que non conforme à sa nature. La faute d'Adam, pour Spinoza, n'est pas d'avoir désobéi à Dieu, mais de ne pas avoir suivi son judicieux conseil et de s'être ainsi rendu malade en goûtant au fameux fruit. Comme le fait justement remarquer Gilles Deleuze dans son lumineux ouvrage sur Spinoza[161], cette critique de la morale transcendante est aussi une critique de la conscience qui, faute de percevoir le juste enchaînement logique des causes et des effets, ressent le besoin d'établir un ordre extérieur inexplicable : la morale transcendante et irrationnelle du « tu dois », du « il faut », remplace alors l'éthique immanente et parfaitement rationnelle de la connaissance du bon et du mauvais. Nous pouvons trouver un confort, voire un réconfort dans le fait d'attribuer les règles morales que nous respectons à un ordre extérieur inexplicable. La morale transcendante du « tu dois » nous permet d'éviter de réfléchir à ce que nous savons bon ou mauvais pour nous.

Une passion n'est plus dès lors dénoncée comme un péché ou un vice, ainsi qu'il en va dans la théologie chrétienne ou la morale classique, mais comme un esclavage, une *servitude*. Une fois encore, tout le projet de l'*Éthique* vise à libérer l'homme de sa servitude intérieure par la connaissance.

Le spinozisme ne constitue pas pour autant une philosophie exempte de *lois* valables pour tous, c'est-à-dire de règles inhérentes au respect d'autrui et à la vie commune. Dans l'ensemble de son œuvre, Spinoza insiste au contraire sur la nécessité d'une loi juste, à laquelle tous les citoyens doivent se soumettre, qui condamne toute violence physique ou morale exercée sur les personnes. Mais ce qu'il entend montrer dans l'*Éthique*, c'est que cette loi commune et nécessaire, née de la raison, ne s'oppose en rien à la poursuite personnelle du bonheur individuel, également fruit de la raison, qui doit conduire chacun à découvrir, par ses propres efforts, ce qui est bon et mauvais pour lui. Spinoza est convaincu que la découverte individuelle de ce qui nous est utile et de ce qui nous rend heureux est également utile au bonheur de tous et à la qualité du vivre ensemble : « Quand chaque homme cherche le plus ce qui lui est utile à lui-même, alors les hommes sont le plus utiles les uns aux autres[162]. »

Autrement dit, la connaissance de soi est le bien le plus précieux pour la vie commune, car elle permet à l'individu de ne plus vivre sous l'emprise aveugle de ses passions, sources de toutes violences. Même si Spinoza ne le dit pas, il va de soi que si tous les individus vivaient sous l'emprise de la raison et parvenaient à une totale connaissance d'eux-mêmes, ils seraient si parfaitement responsables qu'il n'y aurait plus besoin d'une quelconque loi extérieure pour faire régner l'ordre dans la cité.

Dans ce long cheminement de libération par la connaissance, Spinoza distingue trois « genres » de connaissance, trois manières de connaître. L'opinion et l'imagination constituent le premier genre, celui qui nous maintient dans notre servitude. Second genre : la raison universelle qui permet de discerner, distinguer, connaître, ordonner nos affects. L'intuition, grâce à quoi on peut saisir la relation entre une chose finie et une chose infinie, est le troisième genre ; c'est par elle que nous pouvons avoir conscience de l'adéquation entre notre monde intérieur, ordonné par la raison, et la totalité de l'Être, entre notre cosmos intime et le Cosmos entier, entre nous et Dieu. Cette saisie intuitive nous procure la plus grande félicité, la joie la plus parfaite, car elle nous fait entrer en résonance avec l'univers entier.

Précisons encore un point essentiel : Spinoza avait conscience que la raison ne peut à elle seule suffire à entreprendre ce long et exigeant chemin de libération. Il lui faut pour cela un moteur, une énergie. Il voit dans le *désir* le moteur qui conduit l'homme à se hisser d'une joie imparfaite à une joie de plus en plus parfaite. « Le désir est l'essence de l'homme[163] », écrit-il. Et, plutôt que de vouloir annihiler le désir ou le juguler par la force de la volonté – à la manière des bouddhistes, des stoïciens ou de Descartes –, mieux vaut l'utiliser, le régler, l'orienter vers une cible toujours plus adéquate et juste. Spinoza explique que « le désir est un appétit avec conscience de lui-même[164] » (notre appétit, notre pulsion, notre besoin, devient conscient) et précise que « ce n'est pas parce que quelque chose est bon que nous le désirons, mais au contraire nous appelons bonne la chose que nous désirons[165] ». Le meilleur moyen de lutter contre un désir mauvais, c'est donc de le mettre en concurrence avec un désir plus puissant. Le rôle de la raison consiste ainsi non pas à juger et à réprimer un mauvais désir (comme le fait la morale), mais à faire surgir de nouveaux désirs, mieux fondés, qui nous apporteront davantage de joie.

Prenons un exemple concret. J'ai une nièce de vingt-trois ans, Audrey, qui a connu un certain échec scolaire – les études l'ennuyaient – et s'est orientée vers un bac professionnel de vente alors qu'elle avait de bonnes aptitudes intellectuelles. Une fois devenue vendeuse, elle s'est encore plus ennuyée et s'est dit qu'elle serait malheureuse si elle continuait d'exercer ce métier toute sa vie. Poussée par sa nature curieuse et un appétit de connaissances, elle a d'elle-même décidé de lire des livres de culture générale ; elle a découvert que la sociologie l'intéressait et répondait à son désir de mieux connaître le monde dans lequel on vit. À force de travail personnel, elle a réussi à intégrer l'université et brille actuellement dans ses études, qui la rendent heureuse. Sans que quiconque dans son entourage l'y force ou lui fasse la morale, Audrey a compris que sa nature avait besoin d'acquérir des connaissances pour s'épanouir, et elle a remplacé un désir (faire de la vente) par un autre qui lui était plus approprié (comprendre la société dans laquelle on vit). La raison l'a aidée à fonder ce nouveau désir et à mettre en œuvre les efforts nécessaires pour y parvenir, y compris en assurant le financement de ses études. Voilà un exemple simple qui illustre bien cet aspect de la philosophie spinoziste. Aux antipodes de toute morale impérative du devoir, Spinoza fonde une éthique attractive du désir.

Il précise encore qu'« on ne peut réduire ou supprimer un affect que par un affect contraire et plus fort que l'affect à réduire[166] ». Ce qui signifie que la raison et la volonté ne suffisent pas à supprimer une émotion ou un sentiment qui nous perturbent. Leur rôle consiste à favoriser l'émergence d'une émotion ou d'un sentiment plus puissants que ceux qui nous attristent, et qui parviendront seuls à éliminer la ou les causes de notre tristesse. Spinoza nous dit ainsi que le bonheur dépend non seulement de notre vigilance à éliminer pensées et émotions perturbatrices, mais aussi de la manière dont nous parviendrons à développer des pensées et des émotions positives. Il ne suffit pas de s'atteler à éliminer obstacles ou poisons pour être heureux, encore faut-il s'attacher à galvaniser les forces de vie : nourrir la joie, l'amour, la compassion, la bonté, la tolérance, les pensées bienveillantes, l'estime de soi, etc., comme nous l'avons évoqué. Là est le fondement du courant contemporain de la psychologie positive qui insiste sur la nécessité de ne pas uniquement se concentrer sur nos problèmes, nos émotions perturbées, mais aussi et surtout de prendre en compte notre potentiel de vie et de développer tout ce qui est susceptible de nous aider, par nos propres ressources, à surmonter nos blessures et nos inhibitions. La meilleure manière de lutter contre la peur est de développer la confiance. De lutter contre la haine, de développer son contraire : la compassion.

Le bouddhisme tibétain, courant qui a le plus travaillé sur la transformation des émotions, s'inscrit dans ce registre et propose une véritable « alchimie des émotions » : des exercices spirituels visent à développer l'émotion contraire à celle qui nous perturbe. C'est le cas de la méditation dite *tonglen* : il s'agit de visualiser une personne ou une situation qui sont source de colère, de ressentiment ou de peur. Sur l'inspiration, on visualise de la fumée noire émanant de ces personnes ou « objets » négatifs, que l'on absorbe, et sur l'expiration on projette de la lumière blanche, lumineuse, vers ces « objets » ou personnes. On peut ainsi passer progressivement d'une émotion négative à une émotion positive, d'une colère envers quelqu'un à un amour bienveillant, d'une angoisse face à une situation à un état de sérénité.

Il en va de même pour les idées : on ne supprimera pas une idée fausse – ou plutôt « inadéquate », pour reprendre le langage précis de Spinoza – en la stigmatisant, mais en la comparant à une idée « adéquate », c'est-à-dire en la réfutant par une argumentation supérieure qui, comme par une force d'attraction, emportera l'adhésion de la raison. Le voyage philosophique devient ainsi, pour Spinoza, un cheminement qui mène d'une compréhension imparfaite à une juste compréhension des choses, de désirs déréglés à des désirs bons, de joies limitées à la joie parfaite qu'il appelle *Béatitude*. En attendant, chaque étape, chaque progrès, chaque pas en avant s'accompagne d'une joie nouvelle, plus grande, puisque se trouve alors augmentée notre puissance d'être. De joie en joie, l'homme chemine ainsi vers la béatitude et la liberté supérieure, coïncidence de son être avec Dieu – « c'est-à-dire la nature[167] », précise bien Spinoza.

Et c'est sur ce dernier point que je voudrais conclure ce bref résumé de l'*Éthique*. Si l'on entend par athéisme la négation d'un Dieu personnel et créateur tel qu'il est révélé par la Bible, alors Spinoza est clairement athée puisqu'il nie l'existence d'un tel Dieu, celui issu de « l'imagination des théologiens ». Mais sa philosophie ne peut pour autant être qualifiée de « matérialiste », comme on le fait fréquemment, car en identifiant « la substance infinie », qu'il appelle Dieu, à la nature, il ne la réduit nullement à la matière. Pour lui, esprit et matière, comme esprit et corps, ne font qu'un et sont faits de la même substance. Spinoza est donc à la fois spiritualiste et matérialiste. Ou bien ni l'un ni l'autre...

On peut aussi soutenir que sa pensée est empreinte de religiosité non pas parce qu'il observe les dogmes de telle ou telle religion, mais parce qu'il propose, à la manière des stoïciens, la vision d'un cosmos soumis à une loi de nécessité émanant de la Substance première (Dieu), laquelle seule est a-causale, et une voie de salut qui s'achève, comme chez Aristote, dans la contemplation divine : « Notre souverain bien et notre Béatitude reviennent à la connaissance et à l'amour de Dieu[168]. »

Spinoza s'est lui-même toujours défendu d'être athée ou antireligieux. Nous ne le suivrons pas sur le premier point, qui est clairement établi, même s'il dut s'en défendre par prudence politique. Mais nous pouvons comprendre comment, sans être religieux, il n'est pas pour autant antireligieux. La voie philosophique qu'il propose mène, comme la religion, au salut et à la béatitude, mais par le chemin de la raison et du désir éclairés. Ce chemin, qu'il considère lui-même comme « extrêmement ardu[169] », il le recommande aux philosophes, c'est-à-dire à ceux qui entendent sortir de la servitude par la voie de la sagesse rationnelle. Mais il ne méprise nullement ceux, infiniment plus nombreux, qui espèrent atteindre au salut par la foi et la pratique de leur religion. Il affirme même que les deux objectifs convergent et que l'enseignement des Prophètes rejoint par d'autres voies les conclusions pratiques de la sagesse qu'il propose.

Si la « joie » des saints et des mystiques procède de la foi et non de la raison, il n'en demeure pas moins qu'elle est également le fruit d'une béatitude résultant de leur union à Dieu. La béatitude dont parle Spinoza dans l'*Éthique* lui apparaît comme plus parfaite, et surtout plus stable et durable, car elle est le fruit non d'une foi subjective, colorée d'affects, mais de la raison objective poussée jusqu'au bout de ses possibilités. Le mystique *croit* en Dieu (qu'il se représente comme un être personnel) et tire sa joie de son union à Lui, quand le sage *sait* Dieu (qu'il a découvert comme la Substance infinie) et l'a réalisé en lui : « Tout ce qui est, est en Dieu, et rien ne peut, sans Dieu, ni être ni être conçu[170]. »

Quiconque connaît un tant soit peu la philosophie hindoue ne peut qu'être frappé par l'extraordinaire parenté entre la métaphysique spinoziste et la métaphysique de l'Inde, particulièrement celle issue du courant dit de l'*Advaita Vedanta*, la voie de la non-dualité. Face au courant dualiste qui prône – exactement comme pour les trois grandes religions monothéistes juive, chrétienne et musulmane – une distinction entre, d'un côté, un Dieu transcendant et créateur, et, de l'autre, un monde créé par Lui, le courant non dualiste postule l'unité entre Dieu et le monde. Dieu n'existe pas hors du monde ; le monde et Lui participent de la même substance ; tout est en Dieu comme Dieu est en tout. Fondée sur certaines *Upanishads* (textes anciens à peu près contemporains du Bouddha), la voie de la non-dualité a été particulièrement développée par un grand philosophe indien du VIIIe siècle de notre ère : Çankara. L'essentiel de cette doctrine tient dans l'identification entre le divin impersonnel, le *brahman*, et le soi individuel, l'*âtman*. L'*âtman*, c'est le *brahman* en l'homme, et tout le but de la sagesse consiste à réaliser qu'il n'y a pas de différence substantielle entre le *brahman* et l'*âtman*[171].

Tout comme Spinoza, Çankara ne méprise pas les voies religieuses dualistes qui pullulent en Inde : reposant sur la foi et sur l'amour, elles permettent à des millions de fidèles de vivre une spiritualité accessible à tous, en adorant une divinité ou son avatar (c'est-à-dire sa manifestation ou son incarnation). Mais il dit aussi que la voie non dualiste exprime plus profondément le réel : la réalisation de l'être, but ultime de toute vie humaine, implique la cessation de toute dualité. C'est parce qu'il est sorti de la dualité que le sage devient un « libéré vivant » (*jîvan mukta*) pour qui il n'y a plus que la « pleine félicité de la pure conscience, qui est Une » (*saccidânanda*). La délivrance est donc le fruit d'une prise de conscience à la fois intellectuelle et intuitive (*prajnâ*), qui ressemble beaucoup au troisième genre de connaissance de Spinoza, et qui apporte le bonheur suprême, la joie sans limites. Il existe toutefois une différence majeure entre le spinozisme et l'*Advaita Vedanta* : tandis que Spinoza récuse l'existence d'une âme immortelle, la doctrine indienne affirme l'existence d'un soi immortel (*âtman*) qui transmigre d'une existence à l'autre, d'un corps à l'autre (végétal, animal ou humain) et aspire à sortir du cycle du *samsara* (la ronde incessante des renaissances) pour atteindre la délivrance (*mokça*) en réalisant son identité avec le *brahman*. Cette différence, d'un certain point de vue, est considérable, puisque, dans un cas, la conscience individuelle s'arrête à la mort du corps, et dans l'autre non, mais elle n'est pas si capitale pour celui qui s'engage dans la voie de la sagesse et qui réalise, dès cette vie-ci, la saisie intuitive qui permet d'identifier son être au Cosmos entier. De là jaillit la joie suprême qui est « pure félicité » pour les hindous et « béatitude éternelle » pour Spinoza : « Nous sentons et nous expérimentons que nous sommes éternels[172]. » Éternels et non pas immortels : peu importe, pour Spinoza, ce qui advient après la mort, puisqu'on peut vivre en chaque instant l'expérience de l'éternité qui est celle de la substance divine à laquelle on s'est identifié, et est source de joie infinie.

Dans son ouvrage *Le Bonheur avec Spinoza*[173], le philosophe Bruno Giuliani suggère un parallèle intéressant entre la pensée de Spinoza et l'enseignement d'une grande sage hindoue contemporaine :

La joie de Spinoza et de Mâ Anandamayî

Mâ Anandamayî (décédée en 1982). Celle-ci n'a rien écrit, mais son enseignement oral a été retranscrit par ses disciples. Citons cet extrait qui aurait sans doute pu, en effet, être de la plume de Spinoza :

> Comment éviter ce dilemme, cette oscillation du pendule entre bonheur et malheur ? Vous vous laissez aller dans ces petites joies de la vie de tous les jours, mais vous ne vous souciez pas de découvrir la source, Béatitude suprême, d'où jaillissent tous bonheurs. Pendant combien de temps tournerez-vous ainsi en rond ? Pouvez-vous espérer vous complaire dans tous les plaisirs du monde et capter en même temps la source suprême de la joie ? [...] Ce qu'il faut comprendre, c'est que la joie vraie n'existe que dans la vie spirituelle. Le seul moyen d'en faire l'expérience est de connaître et de comprendre ce qu'est réellement l'univers. Nous devons orienter notre esprit pour voir que le monde entier est divin. Notre vieux monde doit disparaître. En revanche, nous devons voir le monde tel qu'il est, voir Dieu en toutes choses, sous toutes les formes et sous tous les noms. Il n'existe pas un pouce de terre où Dieu ne soit pas. La seule chose que nous ayons à faire est d'ouvrir nos yeux et de Le voir dans le bien, dans le mal, dans le bonheur et dans le malheur, dans la joie et dans la tristesse, et même dans la mort. Les mots Vie et Dieu sont interchangeables. Prendre conscience de ce que toute vie est l'Un octroie une félicité immuable[174].

Le nom de cette femme hindoue, parfaite représentante contemporaine du courant indien de la non-dualité, ne m'était pas inconnu, tant s'en faut. Je devais avoir quinze ou seize ans lorsqu'il m'advint une expérience singulière. Je marchais dans Paris, rue de Médicis, face au jardin du Luxembourg, mon regard fut alors attiré par la vitrine d'une librairie. Pendant de longues minutes, je ne pus détourner les yeux de la couverture d'un livre illustré par la photo d'une sage indienne contemporaine du nom de Mâ Anandamayî. Sans que je sache l'expliquer, son visage, irradié de joie, me bouleversait. Elle semblait incarner la félicité absolue des « délivrés vivants », ceux qui ont parfaitement réalisé leur soi, selon la doctrine de l'*Advaita Vedanta*, en ne faisant plus qu'un avec l'univers, avec Dieu. Je ne pouvais rencontrer Spinoza, voir sa joie rayonner, mais je pouvais rencontrer cette femme. Aussi, lorsque, tout juste âgé de vingt ans, je décidai d'aller passer plusieurs mois en Inde, en 1982, je résolus de me rendre dans l'un des nombreux ashrams qu'elle avait fondés. Je ne pus hélas la voir, car elle était mourante et décéda pendant mon séjour à Bénarès.

Plus tard, je rencontrai un de ses principaux disciples français, le journaliste Arnaud Desjardins, lequel dira à son sujet : « Mon existence personnelle m'a donné l'opportunité de contempler bien des merveilles, mais ce qui a produit en moi, et de loin, la plus forte impression […] est la rencontre d'un être humain, d'une femme hindoue de naissance bengalie, la célèbre Mâ Anandamayî. Ce ressenti inoubliable, décisif, a été partagé par de très nombreux Hindous et Occidentaux. Les meilleures images d'un film, les photographies les plus réussies ne transmettent qu'une faible part de son rayonnement. Toutes les facettes d'un être humain accompli, depuis le rire lumineux d'un enfant jusqu'à l'immense gravité d'un sage, s'exprimaient à travers elle[175]. » Il me remit quelques photos d'elle et je dois avouer qu'il m'arrive souvent de les regarder et d'en être réjoui. La lecture de Spinoza me met dans la joie, tout comme le rayonnement de Mâ Anandamayî qui exprime la réalisation de la sagesse.

Alors que je terminais la rédaction de ce chapitre, je me trouvais, par une belle coïncidence, appelé à faire une conférence à La Haye, la dernière ville où vécut Spinoza. J'en profitai pour réaliser un vieux rêve maintes fois ajourné : visiter la maisonnette de Rijnsburg, dans la banlieue de La Haye, où Spinoza vécut entre 1660 et 1663, et qui est devenue un petit musée. Quelle émotion de pénétrer dans la chambre où il a commencé à écrire l'*Éthique* et où a été reconstituée la quasi-totalité de sa bibliothèque ! Bibliothèque que l'idéologue nazi Alfred Rosenberg, fasciné par Spinoza, vint confisquer et transporter en Allemagne sans découvrir que deux femmes juives étaient cachées dans le grenier de la demeure.

Je m'apprête à sortir du musée quand le gardien, qui a gentiment accepté de rester une heure supplémentaire parce que je suis arrivé quelques minutes avant la fermeture, m'invite à inscrire mon nom sur un imposant registre et me signale celui d'Albert Einstein qui passa une journée entière dans la chambre du philosophe, le 2 novembre 1920, comme on peut le constater sur le livre d'or. Je savais que le savant était un inconditionnel de Spinoza, lui qui déclara en avril 1929 au grand rabbin de New York, lequel lui demandait s'il croyait en Dieu : « Je crois au Dieu de Spinoza qui se révèle dans l'harmonie de tout ce qui existe, mais non en un Dieu qui se préoccuperait du destin et des actes des humains. » Je découvre qu'il composa aussi un poème dédié à Spinoza lors de son passage à Rijnsburg, poème accroché au mur dans un petit cadre et qui commence par cette strophe :

Combien j'aime cet homme noble
Plus que les mots ne peuvent le dire
Pourtant je crains qu'il ne demeure seul
Auréolé de sa lumière.

Cette phrase fait écho en moi à la dernière phrase de l'*Éthique*, à laquelle je ne peux m'empêcher de songer : « Tout ce qui est beau est difficile autant que rare. »

Épilogue

Je suis heureux et rien n'en est la cause[176].

CHRISTIAN BOBIN

Il était une fois un vieil homme assis à l'entrée d'une ville. Un étranger s'approche et lui demande :

« Je ne suis jamais venu dans cette cité ; comment sont les gens qui vivent ici ? »

Le vieil homme lui répond par une question :

« Comment étaient les gens dans la ville d'où tu viens ?

– Égoïstes et méchants. C'est d'ailleurs la raison pour laquelle je suis parti », dit l'étranger.

Le vieil homme reprend :

« Tu trouveras les mêmes ici. »

Un peu plus tard, un autre étranger s'approche et demande au vieil homme : « Je viens d'arriver, dis-moi comment sont les gens qui vivent dans cette ville. »

Le vieil homme répond :

« Dis-moi, mon ami, comment étaient les gens dans la cité d'où tu viens ?

– Ils étaient bons et accueillants. J'y avais de nombreux amis. J'ai eu de la peine à les quitter.

– Tu trouveras les mêmes ici », répond le vieil homme.

Un marchand qui faisait boire ses chameaux non loin de là a entendu les deux conversations. À peine le deuxième étranger s'est-il éloigné qu'il s'adresse au vieillard sur un ton de reproche : « Comment peux-tu donner deux réponses complètement différentes à la même question ?

– Parce que chacun porte son univers dans son cœur », lui répond le vieillard.

Ce petit conte soufi exprime à merveille ce que nous disent de manières fort diverses – comme nous l'avons vu tout au long de ce livre – les sages du monde entier : au bout du compte, le bonheur comme le malheur sont en nous. Un homme malheureux sera malheureux partout, un homme qui a trouvé le bonheur en lui sera heureux partout, quel que soit son environnement. Au pessimisme de Kant, de Schopenhauer et de Freud qui affirment qu'un bonheur complet et durable est impossible à cause du caractère infini du désir humain, les sages d'Orient et d'Occident répondent que ce bonheur est possible à condition de ne plus chercher à ajuster le monde à nos désirs. La sagesse nous apprend à désirer et à aimer ce qui est. Elle nous apprend à dire « oui » à la vie. Un bonheur profond et durable devient possible dès lors que nous transformons notre propre regard sur le monde. Nous découvrons alors que bonheur et malheur ne dépendent plus tant des causes extérieures que de notre « état d'être ».

Épilogue

J'ai ouvert cet ouvrage sur une définition socio-logique du bonheur : être heureux, c'est aimer la vie qu'on mène. Si, au terme de ce voyage, j'avais à donner une définition personnelle du bonheur, je dirais que c'est tout simplement « aimer la vie ». Non pas seulement la vie qu'on mène ici et maintenant, et qui peut nous réserver des satisfactions, mais la vie en tant que telle. La vie qui peut aussi demain nous dispenser joie ou tristesse, événement agréable ou désagréable. Être heureux, c'est aimer la vie, toute la vie : avec ses hauts et ses bas, ses traits de lumière et ses phases de ténèbres, ses plaisirs et ses peines. C'est aimer toutes les saisons de la vie : l'innocence de l'enfance et la fragilité de la vieillesse ; les rêves et les déchirements de l'adolescence ; la plénitude et les craquements de l'âge mûr. C'est aimer la naissance et c'est aimer aussi la mort. C'est traverser les chagrins pleinement et sans retenue, comme jouir pleinement et sans retenue de tous les bons moments offerts. C'est aimer ses proches le cœur grand ouvert. C'est vivre intensément chaque instant.

Ne confondons pas la souffrance avec le malheur. Aussi paradoxal que cela puisse paraître de prime abord, on peut à la fois souffrir et être heureux. La souffrance est inéluctable, pas le malheur. On peut être durablement heureux tout en faisant encore l'expérience de la souffrance, et, à condition qu'elle soit passagère, elle ne nous rend pas nécessairement malheureux. Elle est universelle, pas immuable. Nous en faisons tous l'ex-périence, et n'en sommes pas tous malheureux pour autant. Alors que le plaisir ne saurait être associé à un état de souffrance (hormis chez les masochistes !), on peut être heureux tout en étant malade, en situation provisoire d'échec affectif ou professionnel. Cela ne signifie pas qu'il faille ne rien faire pour l'éliminer. Bien au contraire : face à la souffrance, il faut éviter tout fatalisme et chercher autant que faire se peut à en supprimer la cause. Mais si on n'y peut rien, si on reste impuissant face à une maladie, à une épreuve de la vie, à une injustice, on peut encore agir intérieurement pour qu'elles n'altèrent pas notre sérénité.

L'important est de ne jamais être écrasé par la douleur ni se laisser sombrer dans le malheur. Le malheur vient de la perception que nous avons de la souffrance : une même douleur peut nous rendre malheureux ou pas. Le sentiment de malheur est un produit de l'esprit. Plusieurs individus auront beau subir la même épreuve, ils ne seront pas tous nécessairement malheureux, et, pour ceux qui le seront, ce sera à des degrés divers.

L'esprit peut donner sens à la souffrance, la transmuter, l'insérer dans un plus vaste ensemble de perceptions. Une femme peut à la fois souffrir physiquement des douleurs de l'accouchement et ressentir une plénitude de bonheur à l'idée de mettre au monde son enfant : elle intègre la douleur physique dans une perspective plus large, celle de la venue au monde de son enfant. De manière beaucoup plus radicale, les martyrs chrétiens de l'Antiquité se rendaient joyeusement à leur supplice, convaincus qu'il leur vaudrait une félicité éternelle auprès d'un Dieu qu'ils chérissaient plus que tout.

Le sentiment de bonheur ou de malheur provient donc, *in fine*, de l'esprit. Pour ceux qui ne l'ont pas encore expérimentée, cette affirmation est d'autant plus convaincante qu'elle émane non pas seulement de penseurs professionnels ou de lointains sages de l'Antiquité, mais de gens ordinaires, parmi nos contemporains, qui le disent à partir d'une situation vécue. Je renvoie ici le lecteur à l'œuvre de mon ami Alexandre Jollien, qui a passé dix-sept ans dans un institut spécialisé du fait d'un grave handicap physique à la naissance, et qui témoigne, dans ses livres, de sa joie malgré les moments de souffrance et de doute qu'il traverse. Parmi de nombreux témoignages bouleversants, je voudrais aussi citer celui d'une jeune femme juive néerlandaise, déportée et morte à Auschwitz en 1943 à l'âge de vingt-neuf ans : Etty Hillesum. Dans son journal rédigé durant les deux années qui précédèrent son arrestation, alors qu'elle sait qu'elle aura peu de chances d'échapper à la déportation, elle écrit : « Quand on a une vie intérieure, peu importe, sans doute, de quel côté des grilles du camp on se trouve. [...] J'ai déjà subi mille morts dans mille camps de concentration. Tout m'est connu. Aucune information nouvelle ne m'angoisse plus. D'une façon ou d'une autre, je sais déjà tout. Et pourtant, je trouve cette vie belle et riche de sens. À chaque instant. [...] Le grand obstacle, c'est toujours la représentation et non la réalité[177]. » Quelques semaines avant d'être déportée, elle se trouve dans le camp de transit de Westerbork d'où elle envoie à ses amis des lettres racontant les conditions de vie terribles au sein du camp. Pourtant, son amour de la vie ne l'a pas quittée : « Les quelques grandes choses qui importent dans la vie, on doit garder les yeux fixés sur elles, on peut laisser tomber sans crainte tout le reste. Et ces quelques grandes choses, on les retrouve partout. Il faut apprendre à les redécouvrir sans cesse en soi pour s'en renouveler. Et, malgré tout, on en revient toujours à la même constatation : par essence, la vie est bonne. [...] Les champs de l'âme et de l'esprit sont si vastes, si infinis que ce petit tas d'inconfort et de souffrances physiques n'a plus guère d'importance ; je n'ai pas l'impression d'avoir été privée de ma liberté, et, au fond, personne ne peut vraiment me faire de mal[178]. »

Ces mots nous font penser à la « citadelle intérieure » des sages stoïciens et à la liberté ultime dont parle Spinoza, laquelle n'a rien à voir avec une liberté de choix, de mouvement ou d'expression – Etty Hillesum ne jouissait plus d'aucune de ces formes de liberté –, mais qui est la manifestation d'une joie intérieure que rien ni personne ne peut confisquer.

À la suite de Freud, Pascal Bruckner affirme que la sagesse est dorénavant impossible : « Il n'y a pas chez nous, il n'y aura probablement plus de sagesse face à la souffrance, comme en offraient jadis les Anciens, comme en proposent encore les bouddhistes, pour la simple raison que la sagesse suppose un équilibre entre l'individu et le monde et que cet équilibre est rompu depuis longtemps, au moins depuis les débuts de la révolution industrielle[179]. » Etty Hillesum et Alexandre Jollien, entre autres, apportent un démenti cinglant à cette assertion. Parce qu'il possède un esprit, l'être humain peut – et pourra toujours, quels que soient les bouleversements du monde – accéder à la sagesse. Il ne pourra pas nécessairement changer le monde, mais il pourra toujours changer sa manière de le percevoir et puiser une inaltérable joie dans ce travail de transmutation intérieure.

Une fois encore, le bonheur ne se décrète pas, et il advient parfois sans qu'on le recherche. Mais il peut être aussi le fruit d'une attention quotidienne, d'une vigilance, d'un travail intérieur. Ce que les philosophes grecs appellent l'*askesis*, l'ascèse, est, au sens étymologique du mot, un « exercice », un entraînement de l'esprit. On peut ainsi, à la suite des sages grecs, bouddhistes ou de Spinoza, chercher à se libérer de la « servitude » de nos affects par un patient travail sur soi. On peut également, à la suite de Tchouang-tseu ou de Montaigne, chercher à vivre de manière juste, avec souplesse et détachement, pour goûter la joie d'être, sans nécessairement poursuivre cette ultime sagesse. Toute l'éthique mise en œuvre pour atteindre au bonheur suprême ou pour vivre mieux n'a de sens que parce que le bonheur et la vie sont désirables. Comme l'écrit Robert Misrahi, « l'éthique est cette entreprise philosophique de reconstruction de la vie dans la perspective de la joie[180] ». J'ajouterais que nous sommes tous appelés à philosopher, c'est-à-dire à penser plus juste et à vivre au plus près de notre pensée.

On peut considérer la joie de deux manières : comme une émotion intense – joie de décrocher son bac, de voir gagner son équipe de foot, de retrouver un être cher, etc. –, ou bien comme un sentiment permanent dans lequel baigne notre être profond. Cette joie-là n'est pas une simple émotion passagère, c'est notre vérité essentielle. Nous l'éprouvons lorsque nous sommes en accord avec nous-mêmes, avec autrui et avec l'univers. Elle résulte du rayonnement du bonheur ou de l'amour, et c'est pourquoi on la confond volontiers avec le bonheur et l'amour : joie de vivre, sentiment de gratitude, sentiment d'harmonie en nous et entre le monde et nous. Elle n'est pas un acquis, comme si quelque chose d'extérieur venait se greffer à nous. Elle est le fruit d'un dévoilement : elle préexiste en nous, et il nous incombe de la faire émerger. Il s'agit alors d'opérer un travail de déblaiement : ôter les obstacles qui obstruent l'accès à cette paix et à cette liberté indestructibles qui sont en nous.

L'exercice de l'esprit consiste ainsi à éliminer tout ce qui en nous fait obstacle à la joie de vivre. Or nous procédons exactement à l'inverse : nous cherchons à être plus heureux en éliminant des obstacles qui nous sont extérieurs. Nous nous évertuons à améliorer notre confort matériel, à mieux réussir sur le plan professionnel, à être davantage reconnus par nos proches, à être entourés de personnes qui nous dispensent des plaisirs. Nous concentrons tous nos efforts sur l'extérieur et négligeons le travail intérieur : la connaissance de soi, la maîtrise de nos pulsions, l'élimination des émotions perturbatrices ou de représentations mentales erronées. Or, sans négliger nos efforts sur l'extérieur, le travail intérieur est indispensable à celui qui aspire à un bonheur plus stable et profond, à vivre mieux. La connaissance philosophique, entendue comme exercice spirituel, permet la libération de la joie enfouie dans le cœur de chacun. Comme le soleil qui ne cesse de briller au-dessus des nuages, l'amour, la joie, la paix sont toujours au fond de nous. Le mot grec *eudaimôn* (heureux) le dit simplement : *eu* (en accord) *daimôn* (génie, divinité) ; être heureux, pour les Grecs, signifie avant tout être en accord avec notre bon génie ou avec la part de divin qui est en nous. Je dirais : vibrer avec notre être profond.

Notes

1. Épicure, *Lettre à Ménécée*, 122.
2. Aristote, *Éthique à Nicomaque*, I, 10.
3. Sigmund Freud, *Le Malaise dans la civilisation*, Seuil, « Points Essais », 2010, p. 75.
4. Épicure, *Lettres et maximes*, PUF, 1987, p. 41.
5. Pierre Hadot, *Exercices spirituels et philosophie antique*, Albin Michel, 2002, p. 65.
6. *Ibid.*, p. 66.
7. Robert Misrahi, *Le Bonheur. Essai sur la joie*, Éditions Cécile Defaut, 2011, p. 25.
8. Saint-Just, *Œuvres complètes.*
9. Gustave Flaubert, *Lettres à Louise Colet*, 13 août 1846.
10. Sigmund Freud, *Le Malaise dans la civilisation, op. cit.*, p. 64.
11. André Comte-Sponville, *Le Bonheur désespérément*, Librio, 2009, p. 11.
12. Pascal Bruckner, *L'Euphorie perpétuelle. Essai sur le devoir de bonheur*, Grasset, 2000, Le Livre de Poche, 2002, p. 19.
13. Jean Giono, *La Chasse au bonheur*, Gallimard, coll. « Folio », 1991.
14. Montaigne, *Essais*, III, 13.
15. Aristote, *Éthique à Nicomaque*, I, 4.
16. *Ibid.*, VII,12.
17. *Ibid.*, I, 5.
18. Sigmund Freud, *Le Malaise dans la civilisation, op. cit.*, p. 63. Voir aussi *Formulations sur les deux principes de l'ad-*

venir psychique (1911) in *Résultats, idées, problèmes*, PUF, 1998.

19. Aristote, *Éthique à Nicomaque*, VII, 14.
20. *Ibid.*, X, 7.
21. *Ibid.*, X, 9.
22. *Ibid.*, I, 10.
23. Épicure, fragment 469, dans H. Usener, *Epicurea*, Teubner, Leipzig, 1887, p. 300.
24. Épicure, *Lettre à Ménécée*, 129.
25. *Ibid.*, 130.
26. Juvénal, *Satires*, IV, 10, 356.
27. Arthur Schopenhauer, *L'Art d'être heureux à travers cinquante règles de vie*, Seuil, coll. « Points Essais », 2001, règle de vie n° 32, p. 81-82.
28. J'y reviendrai au chapitre 11.
29. Cette question fait l'objet du chapitre 10.
30. Sénèque, *Lettres à Lucilius*, VIII, 71.
31. K. C. Berridge, M. L. Kringebalch, « Building a Neuroscience of Pleasure and Well-Being », in *Psychology of Well-Being: Theory, Research and Practice,* 2011. http://www.psywb.com/content/1/1/3.
32. Voltaire, « Histoire d'un bon Bramin », in *Zadig et autres contes*, Gallimard, coll. « Folio », 1992.
33. *Ibid.*
34. André Comte-Sponville, *Le Bonheur désespérément, op. cit.*, p. 15.
35. Alain, *Propos sur le bonheur*, XCII.
36. Saint Augustin, *La Vie heureuse.*
37. Blaise Pascal, *Pensées*, Fragment 148.
38. Matthieu Ricard, *Plaidoyer pour le bonheur*, NiL, 1997 ; Pocket, 2004, p. 28.
39. Platon, *Euthydème*, 278 e.
40. Alain, *Propos sur le bonheur*, XCII.
41. Luc 6, 22.
42. Emmanuel Kant, *Fondements de la métaphysique des mœurs*, I.

Notes

43. *Ibid.*, II.

44. Matthieu 26, 37-39.

45. Apocalypse 21, 3-4.

46. Platon, *Phédon*, 63 b-c.

47. Goethe, *Divan occidental-oriental.*

48. Gustave Flaubert, *Lettres à Louise Colet*, 13 août 1846.

49. Goethe, *Divan occidental-oriental*, Le livre de Souleika, 7ᵉ partie.

50. Arthur Schopenhauer, *L'Art d'être heureux à travers cinquante règles de vie*, op. cit.

51. *Ibid.*

52. *Ibid.*

53. *Ibid.*, Eudémonologie.

54. *Ibid.*

55. L'Essentiel, *Cerveau et Psycho*, mai-juillet 2013, p. 14. N'ayant pas eu accès à la méthodologie présidant à son enquête, j'avoue ne pas savoir comment une évaluation chiffrée aussi précise peut être faite, mais je la livre telle quelle au lecteur !

56. Sénèque, *De la colère*, III, 30, 3.

57. Amos Tversky, Dale Griffin, « Endowments and Contracts in Judgments of Well-Being », *in* R. J. Zeckhauser (dir.), *Strategy and Choice*, MIT Press, 1991.

58. Sénèque, *De la colère,* III, 30, 3.

59. Marie de Vergès, « Parlons bonheur, parlons croissance », *Le Monde,* 26 février 2013.

60. Jean-Jacques Rousseau, *Discours sur l'origine et les fondements de l'inégalité parmi les hommes*, II.

61. Rick Hanson, *Le Cerveau de Bouddha. Bonheur, amour et sagesse au temps des neurosciences*, Les Arènes, 2011.

62. Merci à Émilie Houin et au *Petit Larousse médical* de m'avoir aidé à expliciter certaines données au fil de ce chapitre.

63. Ancien chef de clinique au Brain Bio Center de Princeton et responsable des centres médicaux PATH de New York et Philadelphie. Voir son ouvrage *Un cerveau à 100 %*, Thierry Souccar Éditions, 2007, dont sont tirées les informations qui suivent.

64. Martin-Du Pan, *Revue médicale suisse*, 2012, 8 : 627-630.

65. *Journal of Human Genetics*, 56, 456-459 (juin 2011) ; http://www.nature.com/jhg/journal/v56/n6/full/jhg201139a.html.

66. Sénèque, *Lettres à Lucilius*, I,1.

67. On trouvera une excellente synthèse de ces travaux dans l'article de deux psychiatres et chercheurs de l'hôpital de la Pitié-Salpêtrière, Antoine Pelissolo et Thomas Mauras, « Le cerveau heureux », *Cerveau et Psycho*, juillet 2013, p. 26-32.

68. Christophe André, *Méditer jour après jour*, l'Iconoclaste, 2011. Signalons aussi l'ouvrage du philosophe et méditant bouddhiste Fabrice Midal, *Pratique de la méditation*, Le Livre de Poche, 2012.

69. Antoine Pelissolo Thomas Mauras, art. cité.

70. L'un des plus populaires est entièrement consacré à la question : Eckart Tollé, *Le Pouvoir du moment présent*, Ariane, 2000.

71. Sevim Riedinger, *Le Monde secret de l'enfant*, Carnets Nord/Éditions Montparnasse, 2013, p. 79.

72. Épictète, *Manuel*, Arlea, 1990.

73. Arthur Schopenhauer, *L'Art d'être heureux…*, règle de vie n° 25.

74. *Ibid.*, règle de vie n° 27.

75. *Ibid.*, règle de vie n° 18.

76. Voir son œuvre principale en deux volumes : *Traité du désespoir et de la béatitude*, PUF, 1991.

77. Martin Seligman, *La Force de l'optimisme*, [*Authentic Happiness,* Simon and Schuster, 2002] / Interéditions Dunod, 2008.

78. In *Le Monde des Religions*, entretien, nov. déc. 2013.

79. P. Brickman, D. Coates, R. Janoff-Bulman, « Lotery Winners and Accident Victims : Is Happiness Relative? », *Journal of Personality and Social Psychology*, vol. 36, 1978.

80. Cédric Afsa et Vincent Marcus, « Le bonheur attend-il le nombre des années ? », France, Insee, portrait social, édition 2008.

81. Aristote, *Éthique à Nicomaque*, VIII, 1.

Notes

82. *Ibid.*, IX, 4.

83. Diogène Laërce, *Vies, doctrines et sentences des philosophes illustres*, V, 20.

84. Montaigne, *Essais*, I, 28, De l'amitié.

85. Aristote, *Éthique à Nicomaque,* IX, 10.

86. Montaigne, *Essais,* III, 10.

87. Voir notamment E. Diener, M. Seligman, « M.P.E. Very Happy People », *Psychological Science*, 2002, 13 : 81-84.

88. Actes des Apôtres 20, 35.

89. Jean-Jacques Rousseau, *Les Rêveries du promeneur solitaire*, sixième promenade.

90. Matthieu Ricard, *Plaidoyer pour l'altruisme. La force de la bienveillance*, NiL, 2013, p. 777.

91. Alain*, Propos sur le bonheur,* XCII.

92. André Gide, *Les Nourritures terrestres – Les Nouvelles Nourritures*, Gallimard, coll. « Folio », 2012.

93. Dynamic spread of happiness in a large social network: longitudinal analysis over 20 years in the Framingham Heart Study. BMJ 2008 ; 337 doi : http://dx.doi.org/10.1136/bmj.a2338 (Published 5 December 2008).

94. Spinoza, *Éthique*, IV, 35.

95. Pascal Bruckner, *L'Euphorie perpétuelle, op. cit.*, p. 45.

96. *Ibid.*, p. 18.

97. Aristote, *Éthique à Nicomaque*, I, 1.

98. Je reprends ici, en les synthétisant, quelques pages de mon ouvrage *La Guérison du monde* (Fayard, 2012) sur les trois révolutions individualistes.

99. Gilles Lipovetsky, *L'Ère du vide*, Gallimard, 1983.

100. John Stuart Mill, *L'Utilitarisme*, Flammarion, coll. « Champs », 2008, chapitre 2.

101. Denis Diderot, *Éléments de physiologie* (LEW., XIII).

102. Pascal Bruckner, *L'Euphorie perpétuelle…*, *op. cit.*, p. 59, 86, 93.

103. Max Weber, *Éthique protestante et esprit du capitalisme*, II, 1.

104. Alain Ehrenberg, *La Fatigue d'être soi*, Odile Jacob, 1998, p. 292.

105. David Hume, *Essai sur le stoïcien*, 1742.

106. Arthur Schopenhauer, *Le Monde comme volonté et comme représentation*, IV, 57.

107. Lucrèce, *De rerum natura*, III, 1083-1084.

108. Emmanuel Kant, *Critique de la raison pure*, t. II, chapitre 2, seconde section.

109. Arthur Schopenhauer, *Le Monde comme volonté et comme représentation*, IV, 38.

110. *Ibid.*, IV, 57.

111. Arthur Schopenhauer, *L'Art d'être heureux*, *op. cit.*, règle de vie n°16.

112. Sigmund Freud, *Le Malaise dans la civilisation*, *op. cit.*

113. Épictète, *Manuel*, *op. cit.*

114. Tilopa est un sage bouddhiste, IXe siècle.

115. Épictète, *Manuel*, *op. cit.*

116. *Ibid.*, p. 18.

117. *Ibid.*, p. 19.

118. Pour ceux qui souhaiteraient approfondir cette question, je renvoie à la somme de Serge-Christophe Kolm, *Le Bonheur-liberté, bouddhisme profond et modernité,* PUF, 1982.

119. Cité par Jean-François Revel, *Histoire de la philosophie occidentale,* NiL, 1994, p. 212.

120. Montaigne, *Essais*, III, 13.

121. Tchouang-tseu, Livre 6.

122. Montaigne, *Essais,* III, 13.

123. Cicéron, *Tusculanes*, I, 30 : « La vie tout entière des philosophes est une méditation de la mort. »

124. Montaigne, *Essais*, III, 9, 14.

125. *Ibid.*, II, 12.

126. *Ibid.*

127. *Ibid.*

128. Marcel Conche, *Montaigne ou la conscience heureuse*, PUF, 2002, p. 63.

129. Montaigne, *Essais*, II, 37.

130. *Ibid.*, II, 12.

131. *Ibid.*, I, 31.

132. *Ibid.*, I, 24.

133. *Ibid.*, III, 9.

134. *Ibid.*, III, 13.

135. *Ibid.*, I, 14.

136. *Ibid.*, III, 13.

137. Les spécialistes transcrivent désormais leurs noms de manière plus rigoureuse en Laozi et Zhuangzi, mais je préfère conserver ici la transcription ancienne, davantage connue du grand public.

138. Tchouang-tseu, *Œuvre complète*, livre 17, traduit par Liou Kia-hway, Gallimard, coll. « Folio essais », 1969.

139. Lao-tseu, *La Voie et sa vertu*, chapitre 14, traduction de François Houang et Pierre Leyris, Seuil, coll. « Points Sagesses », 1979.

140. Tchouang-tseu..., *op. cit.*, livre 3.

141. Lao-tseu, *La Voie et sa vertu*, *op. cit.*, chapitre 29.

142. *Ibid.*, chapitre 7.

143. Tchouang-tseu..., *op. cit.*, livre 19.

144. Antoine Compagnon, *Un été avec Montaigne*, France Inter/éditions des Équateurs, coll. « Parallèles », 2013, p. 20.

145. Lao-tseu, *La Voie et sa vertu*, *op. cit.*, chapitre 78.

146. *Ibid.*, chapitre 28.

147. Tchouang-tseu..., *op. cit.*, livre 18.

148. Tchouang-tseu..., *op. cit.*, livre 5.

149. Marcel Conche, *Montaigne ou la conscience heureuse*, *op. cit.*, p. 88-89.

150. Spinoza, *Éthique*, III, 2.

151. Cité dans Antonio Damasio, *Spinoza avait raison. Joie et tristesse, le cerveau des émotions*, Odile Jacob, 2003, p. 250.

152. Jean-François Revel, *Histoire de la philosophie occidentale*, *op. cit.*, p. 404.

153. Spinoza, *Éthique*, 4e partie, préface.

154. *Ibid.*, 3e partie, préface.

155. *Ibid.*, III, 2, scolie.

156. *Ibid.*, III, proposition 6.

157. Antonio R. Damasio, *Spinoza avait raison. Joie et tristesse, le cerveau des émotions*, *op. cit.*, p. 40.

158. Spinoza, *Éthique*, III, 13, scolie.

159. *Ibid.*, IV, 8, démonstration.

160. Spinoza, Lettre 19 à Blyenbergh.

161. Gilles Deleuze, *Spinoza, philosophie pratique* [1981], Éditions de Minuit, 2003.

162. Spinoza, *Éthique*, IV, 35, corollaire 2.

163. *Ibid.*, IV, 18, démonstration. « C'est en cela que réside l'originalité et la modernité du spinozisme », souligne Robert Misrahi, l'un des plus éclairants exégètes du philosophe qui a tenté de poursuivre son œuvre en approfondissant les notions de désir et de liberté à l'aune de la pensée moderne (*Le Bonheur. Essai sur la joie*, *op. cit.*, p. 32). Voir aussi Robert Misrahi, *100 mots sur l'*Éthique *de Spinoza,* Les Empêcheurs de tourner en rond, 2005.

164. Spinoza, *Éthique*, III, 9, scolie.

165. *Ibid.*, III, 39, scolie.

166. *Ibid.*, IV, proposition 7.

167. *Ibid.*, IV, préface et 4, démonstration.

168. Spinoza, *Traité théologico-politique*, IV, 4.

169. Spinoza, *Éthique*, V, 42, scolie.

170. *Ibid.*, I, 15, proposition.

171. « Chândogya Upanishad », 6, 8. *Sept Upanishads*, traduites et commentées par Jean Varenne, Seuil, coll. « Points Sagesses », 1981.

172. Spinoza, *Éthique*, V, 23, scolie.

173. Bruno Giuliani, *Le Bonheur avec Spinoza*, éditions Almora, 2011. Dans cet ouvrage, l'auteur propose une très audacieuse réécriture de l'*Éthique* adaptée au monde d'aujourd'hui. Son texte est souvent fort éloigné de celui de Spinoza, même s'il reste toujours fidèle à son esprit.

174. *L'Enseignement de Mâ Anandamayî*, traduit par Josette Herbert, Albin Michel, coll. « Spiritualités vivantes », 1988, p. 181 et p. 185.

Notes

175. Mâ Anandamayî, *Retrouver la joie*, textes inédits, préface d'Arnaud Desjardins, le Relié, 2010, p. 11.
176. In *Le Monde des Religions*, entretien, nov.-déc. 2013.
177. Etty Hillesum, *Une vie bouleversée*, *Journal*, Seuil, coll. « Points », 1985.
178. *Ibid.*, Lettres de Westerbork, 26 et 29 juin 1943.
179. Pascal Bruckner, *L'Euphorie perpétuelle*, *op. cit.*, p. 255.
180. Robert Misrahi, *Le Bonheur…*, *op. cit.*, p. 56.

Bibliographie sélective

Classiques (par ordre chronologique)

BOUDDHA, *Sermons.*
LAO-TSEU, *Tao-tê-king.*
TCHOUANG-TSEU, *Œuvre complète.*
PLATON, *Apologie de Socrate.*
ARISTOTE, *Éthique à Nicomaque.*
ÉPICURE, *Lettre à Ménécée* et *Lettres et Maximes.*
LUCRÈCE, *De rerum natura.*
ÉPICTÈTE, *Manuel* et *Entretiens.*
SÉNÈQUE, *Lettres à Lucilius.*
MARC AURÈLE, *Pensées pour moi-même.*
MONTAIGNE, *Essais.*
PASCAL, *Pensées.*
SPINOZA, *Éthique.*
KANT, *Fondements de la métaphysique des mœurs.*
SCHOPENHAUER, *L'Art d'être heureux à travers cinquante règles de vie. Le Monde comme volonté et comme représentation.*
FREUD, *Le Malaise dans la civilisation.*
ALAIN, *Propos sur le bonheur.*
ETTY HILLESUM, *Une vie bouleversée.*
MÂ ANANDAMAYÎ, *Enseignement.*

Commentaires et analyses des classiques

JEAN-FRANÇOIS BILLETER, *Études sur Tchouang-tseu*, Allia, 2004.
ANNE CHENG, *Histoire de la pensée chinoise*, Seuil, 1997.
ANTOINE COMPAGNON, *Un été avec Montaigne*, France Inter/Éditions des Équateurs, coll. « Parallèles », 2013.

Du bonheur

MARCEL CONCHE, *Montaigne ou la conscience heureuse*, PUF, 2002.

ANTONIO DAMASIO, *Spinoza avait raison*, Odile Jacob, 2003.

GILLES DELEUZE, *Spinoza, philosophie pratique*, Minuit, 1981.

BRUNO GIULIANI, *Le Bonheur avec Spinoza*, Almora, 2011.

MARC HALÉVY, *Le Taoïsme*, Eyrolles, 2009.

FRANÇOIS JULLIEN, *Un sage est sans idée, ou l'autre de la philosophie*, Seuil, 1998, coll. « Points Essais », 2013.

ALEXIS LAVIS, *L'Espace de la pensée chinoise*, Oxus, 2010.

FRÉDÉRIC MANZINI, *Spinoza, textes choisis*, Seuil, coll. « Points Essais », 2010.

ROBERT MISRAHI, *100 mots sur l'*Éthique *de Spinoza*, Les empêcheurs de tourner en rond, 2005. *Spinoza, une philosophie de la joie*, Entrelacs, 2005.

JEAN-FRANÇOIS REVEL, *Histoire de la philosophie occidentale*, NiL, 1994.

ISABELLE ROBINET, *Lao Zi et le Tao*, Bayard Éditions, 1996.

Essais contemporains

CHRISTOPHE ANDRÉ, *Vivre heureux*, Odile Jacob, 2003.

ERIC BRAVERMAN, *Un cerveau à 100 %,* Thierry Souccar éditions, 2007.

PASCAL BRUCKNER, *L'Euphorie perpétuelle*, Grasset, 2000 ; Le Livre de Poche, 2002.

ANDRÉ COMTE-SPONVILLE, *Le Traité du désespoir et de la béatitude*, PUF, 1984, 2 vol. *Le Bonheur désespérément*, Pleins feux, 2000 ; Librio, 2009.

BORIS CYRULNIK, *Un merveilleux malheur*, Odile Jacob, 1999.

ROGER-POL DROIT, *Les Héros de la sagesse*, Plon, 2009.

ALAIN EHRENBERG, *La Fatigue d'être soi*, Odile Jacob, 1998.

Bibliographie sélective

Luc Ferry, *Qu'est-ce qu'une vie réussie ?*, Grasset, 2002.

Pierre Hadot, *Exercices spirituels et philosophie antique*, Albin Michel, 2002.

Rick Hanson, *Le Cerveau du Bouddha*, Les Arènes, 2011.

Alexandre Jollien, *Petit traité de l'abandon*, Seuil, 2012.

Serge-Christophe Kolm, *Le bonheur-liberté, bouddhisme profond et modernité*, PUF, édition revue 1994.

Robert Misrahi, *Le Bonheur, essai sur la joie*, Cécile Defaut, 2011.

Michel Onfray, *La Puissance d'exister*, Grasset, 2006.

Matthieu Ricard, *Plaidoyer pour le bonheur*, NiL, 1997, Pocket, 2009.

Martin Seligman, *La Force de l'optimisme Apprendre à faire confiance à la vie*, Dunod/InterEditions, 2008, Pocket, 2012.

Table

Du même auteur

(ouvrages disponibles)

FICTION

Nina, avec Simonetta Greggio, roman, Stock, 2013.

L'Âme du monde, conte de sagesse, NiL, 2012 ; version illustrée par Alexis Chabert, NiL, 2013.

L'Oracle della Luna, tome 1 : *Le Maître des Abruzzes*, scénario d'une BD dessinée par Griffo, Glénat, 2012, tome 2 : *Les Amants de Venise*, 2013.

La Parole perdue, avec Violette Cabesos, roman, Albin Michel, 2011 ; Le Livre de Poche, 2012.

Bonté divine !, avec Louis-Michel Colla, théâtre, Albin Michel, 2009.

L'Élu, le fabuleux bilan des années Bush, scénario d'une BD dessinée par Alexis Chabert, Écho des savanes, 2008.

L'Oracle della Luna, roman, Albin Michel, 2006 ; Le Livre de Poche, 2008.

La Promesse de l'ange, avec Violette Cabesos, roman, Albin Michel, 2004, Prix des Maisons de la Presse 2004 ; Le Livre de Poche, 2006.

La Prophétie des deux Mondes, scénario d'une saga BD dessinée par Alexis Chabert, 4 tomes, Écho des savanes, 2003-2008.

Le Secret, conte, Albin Michel, 2001 ; Le Livre de Poche, 2003.

ESSAIS ET DOCUMENTS

La Guérison du monde, Fayard, 2012.

Petit traité de vie intérieure, Plon, 2010 ; Pocket, 2012.

Comment Jésus est devenu Dieu, Fayard, 2010 ; Le Livre de Poche, 2012.

La Saga des francs-maçons, avec Marie-France Etchegoin, Robert Laffont, 2009 ; Points, 2010.

Socrate, Jésus, Bouddha, Fayard, 2009 ; Le Livre de Poche, 2011.

Petit traité d'histoire des religions, Plon, 2008 ; Points, 2011.

Tibet, 20 clés pour comprendre, Plon, 2008, Prix « Livres et droits de l'homme » de la ville de Nancy ; Points, 2010.

Le Christ philosophe, Plon, 2007 ; Points, 2009.

Code Da Vinci, l'enquête, avec Marie-France Etchegoin, Robert Laffont, 2004 ; Points, 2006.

Les Métamorphoses de Dieu, Plon, 2003, Prix européen des écrivains de langue française 2004 ; Pluriel, 2005.

L'Épopée des Tibétains, avec Laurent Deshayes, Fayard, 2002.

La Rencontre du bouddhisme et de l'Occident, Fayard, 1999 ; Albin Michel, « Spiritualités vivantes », 2001 et 2012.

ENTRETIENS

Dieu, Entretiens avec Marie Drucker, Robert Laffont, 2011 ; Pocket, 2013.

Mon Dieu... Pourquoi ?, avec l'abbé Pierre, Plon, 2005.

Mal de Terre, avec Hubert Reeves, Seuil, 2003 ; Points, 2005.

Le Moine et le Lama, avec Dom Robert Le Gall et Lama Jigmé Rinpoché, Fayard, 2001 ; Le Livre de Poche, 2003.

Sommes-nous seuls dans l'univers ?, avec J. Heidmann, A. Vidal-Madjar, N. Prantzos et H. Reeves, Fayard, 2000 ; Le Livre de Poche, 2002.

Entretiens sur la fin des temps, avec Jean-Claude Carrière, Jean Delumeau, Umberto Eco, Stephen Jay Gould, Fayard, 1998 ; Pocket, 1999.

Les Trois Sagesses, avec M.-D. Philippe, Fayard, 1994.

Le Temps de la responsabilité. Entretiens sur l'éthique, postface de Paul Ricœur, Fayard, 1991, nouvelle édition, Pluriel, 2013.

DIRECTION D'OUVRAGES ENCYCLOPÉDIQUES

La Mort et l'immortalité. Encyclopédie des croyances et des savoirs, avec Jean-Philippe de Tonnac, Bayard, 2004.

Le Livre des sagesses, avec Ysé Tardan-Masquelier, Bayard, 2002 et 2005 (poche).

Encyclopédie des religions, avec Ysé Tardan-Masquelier, 2 volumes, Bayard, 1997 et 2000 (poche).

www.fredericlenoir.com

Photocomposition Nord Compo
Villeneuve-d'Ascq

Impression réalisée par
CPI BRODARD ET TAUPIN
La Flèche

pour le compte des Éditions Fayard
en octobre 2013

PAPIER À BASE DE
FIBRES CERTIFIÉES

Fayard s'engage pour
l'environnement en réduisant
l'empreinte carbone de ses livres.
Celle de cet exemplaire est de :
0,750 kg éq. CO_2
Rendez-vous sur
www.fayard-durable.fr

Imprimé en France
Dépôt légal : octobre 2013 – N° d'impression : 3001580
36-57-2572-0/01